ORÁCULO CABALÍSTICO

DEEPAK CHOPRA,
MICHAEL "ZAPPY" ZAPOLIN
e ALYS R. YABLON

ORÁCULO CABALÍSTICO

Lições da Cabala para o seu dia-a-dia

Tradução:
CARMEN FISCHER

EDITORA PENSAMENTO
São Paulo

Título original: *Ask the Kabala: Oracle Cards Guidebook.*

Copyright © 2006 Deepak Chopra, Michael Zapolin e Alys R. Yablon.

Ilustrações de Tracy Walker.

Publicado originalmente em 2006 por Hay House, Inc., USA.

Copyright da edição brasileira © 2007 Editora Pensamento-Cultrix Ltda.

1ª edição 2007.

1ª reimpressão 2013.

Todos os direitos reservados. Nenhuma parte deste livro pode ser reproduzida ou usada de qualquer forma ou por qualquer meio, eletrônico ou mecânico, inclusive fotocópias, gravações ou sistema de armazenamento em banco de dados, sem permissão por escrito, exceto nos casos de trechos curtos citados em resenhas críticas ou artigos de revistas. A intenção dos autores é fornecer somente informações de natureza geral para ajudá-lo na sua busca por bem--estar emocional e espiritual. Este livro é uma obra de consulta, os autores e a Editora não se responsabilizam caso venha a usar as informações aqui contidas de forma incorreta.

Dados Internacionais de Catalogação na Publicação (CIP)
(Câmara Brasileira do Livro, SP, Brasil)

Chopra, Deepak
  Oráculo cabalístico: lições da Cabala para o seu dia-a-dia / Deepak Chopra, Michael "Zappy" Zapolin e Alys R. Yablon; tradução Carmen Fischer. – São Paulo: Pensamento, 2007.

  Título original: Ask the kabala: oracle cards guidebook.
  Bibliografia.
  ISBN 978-85-315-1494-4

  1. Cabala 2. Cartas de adivinhação 3. Hebraico – Alfabeto – Aspectos religiosos – Judaísmo 4. Misticismo judaico 5. Oráculos I. Zapolin, Michael. II. Yablon, Alys. III. Título.

07-2556   CDD-296.16

Índices para catálogo sistemático:
1. Cabala: Judaísmo   296.16

Direitos de tradução para o Brasil adquiridos com exclusividade pela EDITORA PENSAMENTO-CULTRIX LTDA que se reserva a propriedade literária desta tradução.
Rua Dr. Mário Vicente, 368 – 04270-000 – São Paulo, SP
Fone: (11) 2066-9000 – Fax: (11) 2066-9008
http://www.editorapensamento.com.br
E-mail: atendimento@editorapensamento.com.br
Foi feito o depósito legal.

Sumário

PARTE I: VISÃO GERAL

Introdução por Deepak Chopra 9

Como usar este guia 21

Capítulo 1: Uma Breve História da Cabala 23

Capítulo 2: Os Mistérios do Aleph-Bet 30

PARTE II: AS CARTAS E SUAS RESPECTIVAS LETRAS

1 Aleph: *Avram* (Abraão) 43

2 Bet: *Migdal Bavel* (Torre de Babel) 47

3 Gimmel: *Ger* (O Estrangeiro) 53

4 Dalet: *LeDavek* (Aderir, unir) 59

5 Heh: *Hinneni* ("Eu estou aqui") 65

6 Vav: *Vidui* (Confissão) 71

7 Zayin: *Zachor et Yom HaShabbat*
(Lembrar do Sabbath, Dia do Descanso) 75

8 Chet: *Challah* 81

9 Tet: *Tov* (Bondade) 85

10 Yud: *Yosef* (José) 89

11 Caph: *Calev* (Calebe) 95

12 Lamed: *Leah* (Lia) 101

13 Mem: *Miriã* 107

14 Nun: *Noach* (Noé) 113

15 Samech: *Har Sinai* (Monte Sinai) 119

16 Ayin: *Akedat Yitzchak* (O Atamento de Isaque) 123

17 Peh: *Pharaoh* (Faraó) 129

18 Tzaddik: *Tzelem Elohim* (À Imagem de Deus) ... 135

19 Kuf: *Kan-Tzippor* (Ninho de Pássaro) 141

20 Resh: *Rivka* (Rebeca) 145

21 Shin: *Shema Yisrael* (Ouve, ó Israel) 151

22 Tav: *Tohu U'Vohu* (O Imenso Nada) 155

Bibliografia 159

PARTE I

Visão Geral

Introdução

POR DEEPAK CHOPRA

Minhas raízes espirituais estão na tradição védica — o conhecimento dos grandes sábios da Índia, que foi expresso num conjunto de escrituras antigas chamadas Upanishads. Faz mais de duas décadas que eu tomei consciência das similaridades entre a Sabedoria Védica (uma ordem superior de conhecimento) e a Sabedoria Judaica que é transmitida, sobretudo, por meio da Cabala. (É importante notar que, para uma maior clareza, todos os termos cabalísticos usados neste pequeno guia estão em itálico, enquanto os termos védicos aparecem em tipo cursivo.)

Os conceitos paralelos nessas duas tradições espirituais são muitos e misteriosos. Para mencionar apenas alguns: o Domínio Universal, ou Fonte Inesgotável de vida, que é conhecido na tradição védica como Brahman, é, no judaísmo, chamado de *Ein Sof* (literalmente, "sem fim"); o Atman Errante da minha tradição é conhecido como *Gilgul HaNefesh* ("reencarnação cíclica da alma errante") no judaísmo; a *Shekinah*, a face feminina de Deus, corresponde à Shakti da tradição védica; e os mundos paralelos conhecidos como *Olamot* são o que eu chamaria de Lokas. Na tradição cabalística, assim como na védica, existem planos correspondentes de existência que vão do causal ao etérico e ao físico.

Como podem duas tradições aparentemente tão diferentes apresentar formas tão semelhantes de entender e interpretar tanto o mundo interior quanto o exterior a nós?

Uma maneira de entender isso é retrocedendo no passado até o período situado entre dois e três mil anos antes de Cristo, que muitos historiadores chamam de Era Axial. Durante esse período, surgiram em nosso planeta os profetas do Antigo Testamento, no Oriente Médio; os sábios dos Upanishads, na Índia; os filósofos Sócrates, Platão, Parmênides e Pitágoras, na Grécia; e os grandes sábios Lao-Tsé e Confúcio, no Extremo Oriente. Buda, que precedeu Cristo em mais ou menos quinhentos anos, pode também ser incluído nessa categoria — como, obviamente, o próprio Jesus Cristo.

A Era Axial é assim chamada porque os mesmos fenômenos incríveis ocorreram em todo o planeta mais ou menos na mesma época. Um grande número de eruditos em todo o mundo trouxe para a humanidade o conceito de autoconhecimento. Apesar de seus vocabulários representarem as linguagens de suas épocas e lugares específicos, a contribuição deles para o nosso entendimento do mundo é incrivelmente semelhante. Se tivéssemos que resumir as visões desses grandes visionários, nós poderíamos dizer que elas compreendem três planos de existência no universo, ou seja: Físico, Mental e Espiritual.

Os Domínios dos Mundos Físico, Mental e Espiritual

O **Domínio Físico** da existência é aquele que percebemos através dos nossos cinco sentidos. Ele é tridimensional, está em constante mutação e, nele, causa e efeito parecem ser fixos. Todo organismo que nasce acaba morrendo e está sujeito à decomposição. Os objetos parecem ter limites bem precisos e os eventos parecem ser definitivos. A matéria predomina sobre a energia e as leis da natureza parecem ser previsíveis.

Os cabalistas se referem a esse domínio como "um por cento do mundo", pelo fato de ser ele um pequeno fragmento de um plano invisível muito maior, ao qual se referem como "noventa e nove por cento do mundo". Atualmente, a ciência nos diz que o universo visível é, de fato, constituído de menos de um bilionésimo do plano invisível da existência.

O segundo plano da existência é aquele que os grandes Visionários das tradições da Sabedoria reconheceram como o **Domínio Mental** — a esfera dos pensamentos, sentimentos, emoções, sonhos, fantasias, lembranças e desejos. Nós entendemos esse mundo como nossa subjetividade pessoal.

O terceiro plano da existência, o **Domínio Espiritual**, era percebido como estando além do mental. De acordo com os grandes Sábios, esse estado de ser é a nossa ligação com o Criador ou Deus, um domínio imortal além do nascimento e da morte, a fonte tanto do domínio Físico quanto do Mental.

Comumente, o Domínio Físico, "um por cento do mundo" da Cabala, é chamado de Biosfera, no que diz respeito aos organismos vivos (plantas e animais), e Geosfera, no que diz respeito à matéria física sem vida, como as rochas. O Domínio Mental costuma ser chamado de Noosfera, e o Domínio Espiritual, de Teosfera.

Muitos cientistas de vanguarda da atualidade acham que a distinção entre espírito e matéria pode ser só uma questão de conveniência e, portanto, arbitrária. De acordo com alguns estudiosos, o nosso planeta é um organismo vivo com uma biologia própria, exatamente como qualquer outro ser vivo. Além do mais, como todos os seres vivos têm um plano subjetivo de existência, argumenta-se que a terra, sendo um ser vivo, é também dotada de subjetividade e criatividade.

Outros cientistas sugeriram que, no universo, os fótons seriam portadores de informações tanto subjetivas quanto objetivas e, como o universo é todo permeado de fótons, ele seria, portanto, um ser consciente. De acordo com essa teoria, aquilo que nós chamamos de Domínio Quântico da Natureza é, na realidade, a "esfera mental" da natureza: o mundo feito de informação e energia. É nesse plano que a criação se manifesta. Nele, causa e efeito são fluidos e tanto a vida como a morte ocorrem na velocidade da luz. Nesse plano, a informação está contida na energia, tudo é indivisível e oscilante e todos nós estamos interligados através de redes de informação e energia. Os nossos pensamentos são os pensamentos da natureza e a nossa energia é parte dos campos energéticos da natureza.

A Teosfera: Domínios Pessoal, Coletivo e Universal

O terceiro nível da existência é também conhecido como Teosfera, a esfera do Divino. Esse plano tem mais profundidade do que os outros dois e divide-se em Domínio Pessoal (a esfera da alma); Domínio Coletivo (a esfera dos arquétipos); e Domínio Universal, que é o potencial incomensurável de tudo que já existiu, de tudo que existe e de tudo que está por existir.

A Teosfera é imortal, está além do nascimento e da morte. Nela, tudo está relacionado a tudo, simultaneamente. É silenciosa, eterna e constitui a fonte de toda energia e toda informação; ela tem também um poder infinito de organização e potencial criativo inesgotável, é incomensurável e dinâmica.

Os nossos sentidos nos proporcionam a experiência do tempo como sendo linear, bem como das relações de causa/efeito. Em conseqüência disso, nós somos levados também a pensar nesses termos. A *verdadeira* realidade, entretanto, é que a vida e o universo funcionam em **simultaneidade e correlação**. Se não fosse assim, como é que um corpo humano conseguiria desenvolver pensamentos, tocar violino, matar germes, remover toxinas, nutrir emoções e fazer um bebê, tudo ao mesmo tempo... *e* relacionar instantaneamente umas às outras todas essas atividades?

O corpo humano tem aproximadamente cem trilhões de células — mais do que a soma de todas as estrelas da galáxia da Via Láctea. Cada célula realiza milhões de atividades a cada segundo e todas as células relacionam instantaneamente suas atividades com as de todas as outras células — sem troca de sinais de energia ou informação. Esse é o plano da onisciência, onipresença e da onipotência. A nossa alma pessoal e coletiva pertence ao domínio infinito.

O psicólogo suíço Carl Gustav Jung referia-se ao nível arquetípico da Teosfera como "inconsciente coletivo". Muito embora Jung tenha tido visões importantes quanto à natureza da ordem subconsciente da existência, o termo "inconsciente" é, em minha opinião, impreciso. Em seu lugar, eu chamo o domínio dos arquétipos da Teosfera de "domínio da consciência não-local", que é muito mais alerta do que a nossa limitada mente egóica. Quando entramos em contato com esse domínio, nós temos acesso a percepções, intuições, imaginações criativas, inspirações e processos de escolha consciente. Nesse estado, nós também compreendemos perfeitamente o pleno potencial do poder da intenção.

O mundo dos arquétipos, anjos e seres superiores é conhecido como *Atziluth* no contexto da Cabala, e como Ananda Maya Kosha na literatura védica. A esfera do corpo etéreo e dos germes da identidade pessoal é *Beriyah* (Gyan Maya Kosha) e a esfera das emoções é *Yetzirah* (Mano Maya Kosha). O domínio físico, a esfera do espaço, do tempo e da causalidade é *Assiah* (Anna Maya Kosha).

A esfera de *Beriyah* se divide em *Chokmah*, *Binah* e *Daath*, que correspondem respectivamente aos impulsos para a criação, à nutrição e à integração na Noosfera; e Mahat, Ego e Crenças no mundo de Gyan Maya Kosha.

A esfera de *Yetzirah* se divide em *Chesed*, *Geburah* e *Tiphareth*, que são emoções interiorizadas que se expressam respectivamente nos atos de dar e receber, na contenção, na indulgência e na energia focalizada (Sattva, Tamas e Rajas, na tradição védica). As emoções exteriorizadas são *Netzach*, *Hod* e *Yesod*, que se expressam respectivamente em atos como ajudar o próximo, compaixão, ouvir com empatia, compreensão, comunhão sagrada, amor e comprometimento (correspondentes à ação kármica apropriada, Shruti, e à união cósmica de Shiva e Shakti respectivamente).

Similarmente, *Assiah* expressa no domínio físico a realização de tendências latentes por meio de comportamentos e atitudes, como no Karma-Yoga. Essa tem relação com *Malkuth* que, por sua vez, tem relação com *Shekinah*, a face feminina de Deus (Shakti, na tradição védica).

Todos esses planos de existência são, entretanto, expressões de uma única realidade: a própria consciência, o estado primordial da existência. Quando recorremos a oráculos em busca de previsão ou de entendimento dos níveis mais profundos da existência que dão origem às esferas mais manifestas da existência, começamos a entender como os arquétipos orquestram sincronicamente os eventos de nossa vida pessoal e coletiva.

Arquétipos são concentrações de energia psíquica: são estados de informação, energia e consciência em potencial. Eles existem no domínio coletivo da Teosfera, manifestando-se como temas, motivos ou tramas dos domínios que vão do virtual ao quântico e ao físico. Um arquétipo existe como potencial e jaz adormecido até ser despertado por alguma situação no meio circundante ou na vida mental consciente ou inconsciente do indivíduo. Ele pode também ser despertado conscientemente por meio da intenção.

A ativação de um arquétipo libera forças capazes (estados de informação e consciência energética) de reestruturar os eventos que ocorrem no espaço-tempo, tanto internamente (psiquicamente) quanto externamente (o mundo dos objetos, das relações e das circunstâncias) — numa complexa hierarquia. Essa reestruturação é ordenada pela capacidade de organização infinita do domínio virtual, que opera fora das leis do espaço, do tempo e da causalidade. Ela orquestra a Sincronia do Destino, ou a realização espontânea do desejo.

Juntando tudo: O Universo Total

De que maneira esse conhecimento se relaciona com o que você vai descobrir neste guia?

Bem, nós hoje conhecemos o fenômeno da física chamado de "Efeito Observador", conforme descrito pelo eminente físico John Wheeler. Em essência, esse princípio diz que o universo, em seu núcleo fundamental, é um campo de possibilidades que, quando solicitado, é compelido a fazer escolhas.

Será ele constituído de ondas? Sim, se a sua pergunta for formulada em termos de ondas.

Ou será formado de partículas? Sim, se o seu experimento for baseado em partículas.

Mas o que ele é antes de você colocar a pergunta ou fazer o experimento? Nenhum dos dois. É simultaneamente tanto onda em potencial como partícula em potencial.

Isso quer dizer que o observador, o objeto observado, o processo de observação e a pergunta colocada no momento da observação criam juntos o evento espaço/tempo que chamamos de Realidade. Em essência, todos eles formam um único padrão de comportamento do Universo Total.

Quando você faz uma pergunta à Cabala e obtém uma determinada resposta — e a interpreta à sua maneira pessoal — você está fazendo a mesma coisa. Você, o universo, os padrões arquetípicos que você obtém e como você os interpreta são todos uma mesma atividade do Universo Total.

Você e eu podemos fazer perguntas iguais ou diferentes e obter respostas iguais ou diferentes, mas as interpretações que damos a elas são exclusivamente pessoais, porque as interpretamos através do filtro de nossas próprias experiências. Essas experiências podem ser pessoais (o Karma Pessoal, de acordo com as tradições orientais) ou podem fazer parte de nossa herança espiritual ou de nossos ancestrais. Se você pertence à tradição judaica, por exemplo, e descende de uma família familiarizada com o conhecimento da Torá, as suas interpretações serão bem diferentes das de alguém menos familiarizado com essa tradição. Isso não quer dizer, entretanto, que a interpretação dessa pessoa seja menos confiável; só será mais pertinente a ela.

Como usar este guia

Nas páginas a seguir, você vai encontrar textos curtos que correspondem a cada uma das 22 letras do alfabeto hebraico. Nós escolhemos apenas um tema, lenda ou personagem dos inúmeros do Antigo Testamento para representar cada letra, mas nessas lendas, você vai encontrar muitos outros caminhos ocultos e mensagens que vão levá-lo a um entendimento mais profundo das letras e, em última análise, de você mesmo. No final de cada texto, há uma pequena reflexão sobre os temas expressos nele.

Para começar, escolha uma carta do baralho que acompanha este livro. Você deve antes embaralhar as cartas e segurá-las na mão esquerda voltadas para baixo. Em seguida, tire uma carta do baralho com a mão direita. Antes de virar a carta para ver que letra ela contém, medite sobre a questão, assunto ou problema específico que está enfrentando. Peça orientação à Cabala sobre como resolver o problema e, só então, vire a carta. Procure no livro o texto correspondente à letra contida na carta e leia-o com atenção.

As letras são recursos de meditação para ajudar você a focalizar com clareza uma determinada situação e alcançar o resultado positivo que busca. Cada letra coloca à mesa certas energias e um nível específico de consciência. Se for capaz de reconhecer essas energias, você perceberá o que está procurando em cada página.

Com a prática regular de colocar perguntas, você vai descobrir que a Cabala está, na realidade, ajudando você a refinar suas próprias capacidades intuitivas. A intuição é uma forma de inteligência relacionada ao contexto, é holística e estimulante. Ela não se volta para finalidades como perder ou ganhar. Em vez disso, ela escuta às escondidas as conversas do universo.

Na devida hora, você vai saber intuitivamente o que cada letra simboliza para você e será capaz de refletir sobre ela independentemente, sem ter que reler o texto correspondente. E com a prática, você vai entrar cada vez mais em harmonia com as energias do universo. *O Oráculo Cabalístico* vai ajudar você a chegar lá.

CAPÍTULO UM

Uma Breve História da Cabala

Duas das mais antigas meditações da Índia são centradas nos sons "ahhh" e "ohhhhm". A meditação no som "ahhh" costuma ser praticada pela manhã com o propósito de realizar as coisas que se deseja manifestar no mundo físico. A meditação no som "ohhhm" é feita à noite, para equilibrar tanto as energias internas como as referentes à relação entre a pessoa e o universo. Quando esses dois sons são pronunciados juntos, é interessante notar que se tem o mesmo padrão sonoro encontrado na palavra hebraica shalom *(shahhhlohhhm), que significa "paz", "alô", "até logo" e muito mais. Esse é um exemplo perfeito dos mistérios que existem por trás até mesmo das coisas mais simples, como palavras e letras.*

O que é a Cabala?

A palavra hebraica *cabala* provém da raiz *kabel*, que significa "receber". A cabala é um conjunto de escrituras místicas baseadas num livro chamado Zohar (também conhecido como "O Livro do Esplendor"), que é uma interpretação dos livros que, em seu conjunto, são conhecidos como a Torá Oral.

A Torá Escrita, também conhecida como os Cinco Livros de Moisés, o Antigo Testamento, ou simplesmente Torá, é o texto original da fé judaica. A Torá Oral interpreta a Torá e a aplica à vida cotidiana, enquanto o Zohar se concentra no motivo pelo qual uma pessoa escolhe viver dessa ou daquela maneira. E esse motivo, conforme acaba se revelando, é muito simples: porque viver a vida como um ser espiritual totalmente desperto é o maior poder que se pode alcançar. É também a coisa mais difícil de se realizar, uma vez que implica abrir mão das verdades externas e voltar-se para os aspectos internos de si mesmo.

A Cabala procura nos levar a uma consciência pré-bíblica, uma esfera de valores atemporais que existiram antes da religião institucionalizada. Esse estado de ser é de pura religiosidade: é o momento que precede a oração, quando você fecha os olhos e antes sente as forças que estão fora de sua compreensão, mais do que as palavras contidas na prece ou como elas são ditas.

Para funcionar no plano místico da Cabala, a pessoa precisa estar preparada para receber coisas e aceitar forças que estão fora e acima de seu controle. Receber, nesse caso, é também deixar ir, abrir mão de idéias preconcebidas, do ego e do medo. Se nos permitirmos receber e abraçar o conhecimento e a consciência do pensamento cabalístico, nós logo seremos capazes de acessar a energia que interliga todas as coisas e traz mais sentido para as nossas vidas.

De onde vem a Cabala?

Considera-se que muito antes de a Torá ter sido escrita, Abraão, o primeiro judeu, tenha escrito um livro chamado *Sefer Yetzirah* (ou o "Livro da Criação"), o primeiro livro escrito em hebraico e o primeiro a descrever as energias dos planetas e do zodíaco. Essa obra pode também ser lida como um guia de meditação para a canalização de energias do universo para uma ampla variedade de propósitos.

Através dos tempos, sempre houve grupos de estudiosos sintonizados com os níveis mais profundos do significado da Torá e que estudaram o *Sefer Yetzirah* com todos os seus ensinamentos místicos. Finalmente, esses grupos de sábios acabaram ficando conhecidos como cabalistas.

Um estudioso em particular, o rabino Shimon bar Yochai, passou treze anos escondido numa caverna com seu filho, o rabino Eliezer, anotando os ensinamentos do mundo místico. O trabalho de todos esses anos resultou no *Sefer HaZohar*, que é uma interpretação mística da Torá escrita em aramaico antigo e que hoje é conhecido simplesmente como Zohar.

No Zohar, o rabino Shimon bar Yochai estabelece o conceito básico das dez *Sephiroth* (níveis ou dimensões de energia) usadas por Deus para criar o universo. Cada *sephirah*, ou esfera, representa certos aspectos da humanidade e sua busca de sentido através do entendimento de Deus e do universo. Elas são muitas vezes apresentadas num gráfico em forma de uma pessoa, com cada *sephirah* correspondendo a uma parte do corpo e da psique humana.

Para se ter uma visão geral desse sistema extremamente complexo, os três níveis superiores (*Kether*: a Coroa; *Chokmah*: Sabedoria; e *Binah*: Entendimento) são considerados além do entendimento humano; os seis níveis intermediários (*Chesed*: Misericórdia; *Geburah*: Poder; *Tiphareth*: Beleza; *Netzach*: Vitória; *Hod*: Esplendor; e *Yesod*: Alicerce) correspondem aos caminhos cada vez mais complexos pelos quais uma pessoa pode chegar até Deus; e o último nível (*Malkuth*: O Reino) representa o mundo físico.

Cada *sephirah* tem suas próprias características e inteligência energética, além de uma grande quantidade de significados, símbolos correspondentes, etc. Isso é apenas o começo de um sistema de associações que vai se tornando cada vez mais rico e complexo e que vai levando a pessoa a um entendimento cada vez mais profundo do universo.

Revelando a Tradição Oculta

Por inúmeras gerações, a Cabala foi ocultada do grande público. Havia inúmeras razões para que as pessoas fossem desencorajadas a estudar o Zohar; por exemplo, dizia-se que esses livros eram tão poderosos que só deveriam ser lidos por homens casados e com mais de quarenta anos que tivessem adquirido a maturidade e o conhecimento necessários. Em outras palavras, os poderes místicos contidos no Zohar eram considerados sobrepujantes demais para serem utilizados pela população em geral. Os estudiosos que conheciam o poder dessas escrituras receavam pelo que pudesse vir a acontecer se eles caíssem em mãos de malfeitores.

É mais provável, no entanto, que essas restrições e advertências fossem simplesmente para encobrir o fato de o Zohar ser um texto incrivelmente complexo escrito em aramaico antigo e que poucas pessoas tinham condições de decifrá-lo devidamente para ensiná-lo. Quando ele finalmente foi traduzido — e o nível das comunicações havia avançado o suficiente para que os eruditos pudessem interpretar o texto de maneira compreensível, tornando o livro acessível ao grande público — muitas gerações haviam se passado. Hoje, nós temos acesso não somente aos textos, mas também às dezenas de livros que nos ajudam a entendê-los e aplicá-los em nossas vidas.

No Zohar, há uma profecia de que na Era de Aquário todo mundo ia conhecer os segredos da Cabala, já que eles viriam a constituir os princípios essenciais da vida. O conhecimento e o avanço científicos seriam necessários para o surgimento da Era de Aquário, na qual todas as pessoas reconheceriam as leis da natureza. Essa era é a que estamos vivendo hoje. O acesso incrível que temos à informação, por meio de recursos como a Internet, como também do mundo totalmente globalizado, faz de nosso tempo a era em que o acesso a essas informações por tanto tempo ocultadas seja possível.

Foram necessários os eventos catastróficos do século passado — incluindo o Holocausto, as guerras devastadoras e, mais recentemente, o 11 de Setembro — para que as pessoas se dispusessem a explorar os recônditos mais profundos de suas tradições espirituais em busca de refúgio da confusão deste mundo cruel. Agora que estamos aqui, temos a oportunidade de aprender a conhecer os princípios da Cabala e termos acesso a um mundo que por tanto tempo nos foi ocultado.

CAPÍTULO DOIS

Os Mistérios
do Aleph-Bet

O Zohar ensina que a Torá é feita de fogo negro sobre fogo branco. O que quer dizer que o fogo negro representa as letras verdadeiras escritas sobre o manuscrito físico da Torá, enquanto o fogo branco é o espaço entre e em volta de cada letra. Juntos, esses dois elementos formam o conjunto que conhecemos como Torá; e o espaço branco vazio é exatamente tão importante quanto as marcas negras que formam as letras e palavras que lemos. O fogo negro, segundo o que diz a Cabala, é o simples significado literal do texto, a parte que conseguimos entender intelectualmente, enquanto o fogo branco é o lado mais contemplativo, a parte que temos de encontrar por nós mesmos, interpretando, avaliando e emocionalmente entrando em contato com o material.

Alguns rabinos dizem que a Torá do fogo negro é a que temos neste mundo, mas que no mundo por vir, quando ti-

vermos alcançado um plano espiritual mais elevado, sere-mos capazes de ler a Torá do fogo branco. Em outras pa-lavras, as partes da vida que são ocultadas de nós, as coi-sas que não são percebidas diretamente por nossos cinco sentidos, são exatamente tão importantes quanto qualquer outra coisa, talvez até mais importantes. Mas enquanto não alcançamos o nível de poder "ver" o fogo branco, te-mos que, em primeiro lugar, nos concentrar no que pode-mos aprender com o fogo negro.

Números e Letras

A Cabala nos ensina que é possível interpretar e reinterpretar as lendas e fábulas tradicionais da Torá em níveis infinitos de significação. Pelo uso de técnicas de meditação, nós podemos chegar a ver os mitos com um nível de profundidade que jamais imaginamos ser pos-sível. Olhando para as letras hebraicas que formam as palavras nos livros da Torá, podemos ver formas e figu-ras que ilustram as narrativas que suas palavras contam. E pelo uso da *gematria* (uma forma antiga de matemá-tica sagrada na qual a cada letra é atribuído um valor numérico e, em seguida, ela é analisada de acordo com o número que cada palavra totaliza), nós podemos nos levar a um estado mental onde até mesmo as próprias letras têm muitos níveis de significação. Essa altera, portanto, a nossa percepção das palavras e contribui para aumentar as múltiplas interpretações da Torá.

Conforme os cabalistas vêm afirmando há milhares de anos, nós humanos somos um microcosmo do universo. Essa é uma referência ao fato de existir 22 letras no alfabeto hebraico e 22 cromossomos no corpo humano — e existe também uma lenda, segundo a qual Deus, na verdade, criou o ser humano servindo-se das letras do alfabeto. Independentemente dessa teoria, nós podemos também tirar a conclusão de que nós, como pessoas, estamos estreitamente ligados às letras que formam a nossa história e encontramos meios de nos ver em sua própria constituição.

Em resumo, os cabalistas ensinam que existem modos infinitos de manipular as palavras e as letras, como também centenas de técnicas para colocar as sentenças em ordem inversa até elas se revelarem para nós de cada ângulo imaginável. Assim como a equação $E=mc^2$ é muito mais do que um amontoado de letras e números (é a abreviatura simbólica de uma lei da natureza extremamente complexa), cada letra do *Aleph-Bet* representa muito mais do que ela própria.

Um exemplo interessante de *gematria* é a própria palavra *Cabala*. Usando o valor numérico atribuído às letras na página 35, podemos ver que as letras que formam essa palavra são: *Kuf* (100), *Bet* (2), *Lamed* (30) e *Heh* (5), resultando no total de 137. Na física quântica, o número em código mais importante — e mais básico — é o "número absoluto", que descreve a energia exata na qual o universo inteiro vibra. Esse número é representado como alfa, o qual é definido pela velocidade da luz e cujo valor é 1/137, o valor recíproco da palavra *Cabala*.

Se aprofundar um pouco mais a análise, você vai descobrir que existem números infinitos de palavras cujo valor numérico soma um total muito maior. Além da *gematria*, os cabalistas também fazem uso da teoria do *a't'ba'sh*, pela qual cada letra corresponde à letra da extremidade oposta do alfabeto, de maneira que *Aleph*, a primeira letra, corresponde a *Tav*, a última, e *Bet*, a segunda letra, corresponde a *Shin*, a penúltima letra do alfabeto, e assim sucessivamente. Com apenas essas duas fórmulas em mente, você pode começar a imaginar os níveis de significação que é possível criar.

As Letras Hebraicas: Visão Geral

Antes que você se deixe envolver demais pelos modos de inverter, contar e rearranjar as letras do *Aleph-*

Bet em infinitas interpretações, vamos nos deter no exame das próprias letras.

É importante examinar os caracteres e como eles são desenhados. Você vai notar que algumas letras são muito parecidas, enquanto outras são evidentes combinações de umas e outras. A forma física de cada uma das letras é exatamente tão importante quanto o valor numérico ou invertido. A letra *Vav*, por exemplo, é muitas vezes mencionada na Cabala como a linha reta da luz divina que desceu do céu para a terra no primeiro instante da criação; por isso, ela é traçada como uma linha reta vertical. A *Shin* é formada de três *Vavs* e uma linha de ligação na base, simbolizando as ligações e as similaridades entre os diferentes mundos.

Observe:

LETRA	SÍMBOLO HEBRAICO	VALOR NUMÉRICO
Aleph	א	1
Bet	ב	2
Gimmel	ג	3
Dalet	ד	4
Heh	ה	5
Vav	ו	6
Zayin	ז	7
Chet	ח	8
Tet	ט	9
Yud	י	10
Caph	כ	20
Lamed	ל	30
Mem	מ	40
Nun	נ	50
Samech	ס	60
Ayin	ע	70
Peh	פ	80
Tzaddik	צ	90
Kuf	ק	100
Resh	ר	200
Shin	ש	300
Tav	ת	400

Se você ainda não conhece as letras hebraicas, concentre-se nelas por algum tempo para que suas formas sejam assimiladas. Talvez você se veja atraído para grupos de letras, ou para uma em particular — talvez a primeira letra de seu nome seja a que você queira começar a explorar. Como cada letra de cada palavra traz consigo uma energia diferente, é importante se familiarizar com essas estruturas básicas da língua hebraica.

A Torá Física

Como com tudo no mundo, não há nada de acidental no modo como é produzido o manuscrito da Torá. Em primeiro lugar, para ser uma Torá perfeitamente "kosher" para ser usada nas cerimônias da sinagoga, o rolo tem que ser feito de pergaminho e cada letra precisa ser escrita à mão por um escriba, chamado *Sofer*, que é especialmente treinado na arte da caligrafia bíblica. Cada letra deve não apenas ser desenhada com perfeição à mão, mas também, se acontecer de uma letra ou mesmo parte dela ficar rabiscada ou borrada, terá que ser reparada para poder voltar a ser usada.

Isso pode parecer exagero para as sensibilidades do mundo moderno — afinal, não podemos simplesmente ler o mesmo texto nos livros impressos profissionalmente? O que importa se a extremidade de uma letra estiver um pouco borrada? A resposta é que, durante séculos, os cabalistas afirmaram que a cada ser humano corresponde uma letra contida no rolo da Torá. Conseqüentemente, se uma única pessoa foi prejudicada — isso é, se um membro do grupo encontrar-se de alguma maneira prejudicado ou ocultado — é preciso que trabalhemos para reparar o erro antes de podermos prosseguir como um todo. Assim como a sua vida não seria completa se você se concentrasse apenas em si mesmo, a Torá não pode funcionar sem seus leitores.

Outro aspecto interessante a respeito da escrita do manuscrito da Torá é que ela tem que ser realizada com a intenção totalmente pura do escriba. Esse processo difícil e esmerado pode levar muito tempo para ser concluído e requer treinamento e concentração. Além da pressão para produzir algo que seja, em essência, totalmente perfeito, o escriba tem que ainda ter intenções puras ao escrever o manuscrito e estar sempre pensando no bem da comunidade que irá ler sua obra. Como com todas as coisas, o escriba tem que ter a motivação para compartilhar e ter uma atitude energeticamente positiva.

Os Mitos e seus Significados Cabalísticos

O manuscrito da Torá contém os Cinco Livros de Moisés ou o Antigo Testamento. Escrito à mão sobre pergaminho através de gerações, este livro contém todos os principais mitos e símbolos arquetípicos que formam os alicerces da fé judaica.

A Torá, segundo os cabalistas, é como a matriz da vida. Tudo o que está contido no manuscrito tem algo a nos ensinar sobre nossa própria vida, mesmo nos dias de hoje. Mesmo que você não consiga vivenciar hoje o relato da experiência de Moisés separando as águas do Mar Vermelho ou a descrição da cerimônia do Templo Sagrado, você *pode* definir os milagres modernos como viagens astrais e sistemas sofisticados de oração e devoção.

É interessante notar que a primeira palavra da Torá, em hebraico, não começa com *Aleph*, que é a primeira letra do alfabeto, mas com *Bet*, a segunda letra: *"Bereishit bara Elohim* (No princípio, Deus criou....)." Isso é para nos ensinar uma lição essencial: A vida nunca é tão simples quanto parece e nós só conseguimos ver uma parte minúscula do que de fato está acontecendo ao nosso redor. Nós não começamos com *Aleph*, mas com *Bet*, nós começamos "no" princípio (a letra *Bet* é o prefixo hebraico usado para denotar "em"), dentro de algo que já existe em algum nível, algo que está além da nossa compreensão humana.

O começo da Torá com a segunda letra em lugar da primeira é o catalisador da própria essência da vida espiritual ativa, por impor desde o princípio a pergunta "Por quê?". Nós temos que sempre nos esforçar para ver além da superfície e nunca tomar nada como óbvio. Nós não fomos colocados aqui neste planeta para termos respostas fáceis e temos que sempre tentar escavar cada vez mais fundo até alcançarmos nossas verdades pessoais, até podermos revelar o fogo branco envolvendo o fogo negro que enxergamos.

Alguns estudiosos da Bíblia consideram o fato de a primeira e a última letra da Torá, *Bet* e *Lamed* respectivamente, quando invertidas, formarem a palavra *Lev*, que significa "coração". Se você voltar atrás e olhar o gráfico com os símbolos hebraicos correspondentes a essas letras, você vai notar que a figura do *Bet* apresenta três lados fechados e um aberto, enquanto o *Lamed* é aberto na base e depois sobe para o alto. Essas duas letras representam abertura e crescimento, talvez para nos ensinar que quando lemos as palavras da Torá, e chegamos a entendê-las por meio da Cabala, nós deveríamos fazê-lo com o coração aberto e com o desejo de crescer em todos os níveis.

PARTE II

As Cartas e suas Respectivas Letras

1
א
Aleph
אברם
Avram
(Abraão)

Ora, disse o Senhor a Abrão: "Sai da tua terra, da tua parentela e da casa de teu pai e vai para a terra que te mostrarei. De ti farei uma grande nação, e te abençoarei, e te engrandecerei o nome, Sê tu uma bênção."

Gênesis 12:1-2

Com essas palavras, tem início a longa jornada de Abraão, o patriarca do monoteísmo e o primeiro judeu, pelos áridos desertos e terras estrangeiras até a descoberta de uma nova fé e uma nova maneira de se relacionar com Deus.

Muito foi dito sobre por que Abraão, entre tantas pessoas, foi o escolhido para essa missão. Eis aqui a resposta: afora todas as experiências pelas quais ele iria passar, Abraão dispôs-se antes e acima de tudo a embarcar nessa aventura, por querer deixar para trás tudo que lhe era familiar — sua terra, sua família e sua casa — e começar tudo de novo.

Você vai notar que nessa passagem, o nome Abraão, aparece escrito como "Abrão". Isso porque o relato ocorre antes de ele ter sido provado, quando ele ainda se encontra no estado original de sua mente. Assim, Abrão terá que passar por uma série de provações e tribulações antes de Deus conceder a ele a letra sagrada *Heh* (H), que significa sua relação próxima com o Divino. A esposa de Abrão, Sarai, será renomeada nesse processo, tornando-se Sara, a primeira das quatro matriarcas.

A expressão hebraica *Lech Lecha*, cujas palavras iniciam a passagem, significa literalmente "tu vais". Neste exemplo, entretanto, ela é usada no sentido figu-

ORÁCULO CABALÍSTICO

rativo — Abrão é instruído não apenas a se levantar e ir, mas também a "ir por si mesmo" ou "ir em direção a si mesmo".

Em outras palavras, essa passagem reflete algo muito mais profundo do que um movimento físico para adentrar o desconhecido. A verdadeira jornada é interior: Abrão tem que deixar para trás seu modo confortável de vida, que é repleto de suposições, e voltar-se para si mesmo e descobrir o que seu coração acalenta no seu fundo. Ele tem que quebrar a rotina para poder encontrar algo muito maior — ou seja, as verdades mais profundas da vida.

Em termos cabalísticos, essa é a verdadeira grandeza do patriarca. Ele é o primeiro a iluminar o caminho do autoconhecimento e de "encontrar a si mesmo". Essa é uma jornada ativa, repleta de inúmeras provações que põem a vida em risco ao longo do caminho, embora seja também a mais gratificante de todas as jornadas. É a jornada que vai acabar num novo nome e numa vida totalmente nova.

❊ ❊ ❊ ❊

O aparecimento da carta *Aleph* pode ser um sinal de insegurança com respeito ao rumo da sua vida e ao desejo de saber qual ele é. A letra *Aleph*, a primeira do alfabeto, aparece no começo de uma nova aventura ou no encerramento de um velho ciclo.

Concentre-se na energia de Abraão para poder **começar de novo**, como se fosse da estaca zero. Imagine-se deixando tudo para trás e caminhando dia após dia em direção a um novo território espiritual e emocional. Você não sabe o que tem pela frente, nem qual é a direção certa, mas a jornada se impõe a você.

Saiba que a mudança de sua vida, e da vida das gerações futuras, começa com o primeiro passo que você dá com confiança em si mesmo e com determinação interna.

❊ ❊ ❊ ❊

2
ב
Bet
מגדל בבל
Migdal Bavel
(Torre de Babel)

Ora, em toda a terra havia apenas uma linguagem e uma só maneira de falar. Sucedeu que, partindo eles do Oriente, deram com uma planície na terra de Senaar; e habitaram ali. E disseram uns aos outros: "Vinde, façamos tijolos e queimemo-los bem." Os tijolos serviram-lhes de pedra, e o betume, de argamassa. Disseram: "Vinde, edifiquemos para nós uma cidade e uma torre cujo tope chegue até os céus e tornemos célebre o nosso nome, para que não sejamos espalhados por toda a terra." Então, desceu o Senhor para ver a cidade e a torre, que os filhos dos homens edificavam; e o Senhor disse: "Eis que o povo é um, e todos têm a mesma linguagem. Isto é apenas o começo; agora não haverá restrição para tudo que intentam fazer. Vinde, desçamos e confundamos ali a sua linguagem, para que um não entenda a linguagem de outro." Destarte, o Senhor os dispersou dali pela superfície da terra; e cessaram de edificar a cidade. Chamou-se-lhe, por isso, o nome de Babel, porque ali confundiu o Senhor a linguagem de toda a terra e dali o Senhor os dispersou por toda a superfície dela.

Gênesis 11:1-9

Quando crianças, dizem-nos que a lenda da "Torre de Babel" é uma fábula que serve para explicar por que nós humanos falamos tantas línguas diferentes e por que vivemos em tantos cantos diferentes do mundo. Não é comum nos contarem a verdade mais complexa, segundo a qual depois de as pessoas terem construído sua famosa torre (imaginando que iam poder chegar ao céu e de lá se enfurecerem contra Deus), elas foram punidas com justamente o que estavam tentando evitar: a dispersão através do mundo, como também o surgimento de diferentes línguas.

Essa dispersão é vista como um castigo, pois agora as pessoas que um dia haviam sido de "um único propósito" constituem diferentes povos, tomados por diferenças e conflitos — estado de coisas que vai levar a um tamanho desentendimento que eles jamais haviam podido imaginar.

A geração de pessoas que veio logo após a primeira destruição do mundo pelo dilúvio, que lemos na história de Noé, procurou usar sua unidade de propósito contra Deus em vez de buscar meios de usar esse dom para o bem. Elas não valorizaram o dom da Unidade que lhes fora dado e, portanto, foram punidas com a condição contrária. Elas teriam agora que enfrentar o desafio de terem que aprender a entender a língua, a cultura e até mesmo a geografia uns dos outros para poderem realizar qualquer coisa enquanto grupo. Eles foram reduzidos a uma torre de babel — ninguém conseguia entender nenhuma palavra do que o outro dizia — e a uma grande confusão (a palavra hebraica *mebubal* significa "confuso").

Hoje, não conhecemos nenhuma outra realidade que não seja a da diversidade e da dissonância cultural. Mas no princípio dos tempos, nós éramos Um. Essa Unidade, que é também um indício da proximidade com Deus, não conseguiu resistir nem mesmo por um período relativamente curto da história humana. O resto do tempo seria uma volta gradual à aproximação, uma jornada de *Tikkun Olam* (Cura do Mundo) que levaria milhares de anos para ser realizada.

Em nosso mundo do século XXI, estamos apenas começando a vivenciar a correção, o *Tikkun*, da Torre de Babel. Hoje, formamos uma sociedade globalizada, entendemos as línguas uns dos outros e passamos o tempo todo realizando intercâmbios nas esferas política, econômica e social. O mundo continua em desarmonia, mas está ficando um pouco melhor a cada dia que passa.

A letra *Bet*, que corresponde ao número dois, é também a primeira letra da Torá. Isso é para nos ensinar que nada jamais é tão evidente quanto gostaríamos que fosse. O fato de a Torá começar com a letra *Bet* em vez de *Aleph* sugere que sempre é importante olhar os dois lados de toda situação — e nunca tomar nada como certo. Temos que ver as coisas tanto da perspectiva espiritual quanto da material, das perspectivas branca e negra e de tantos pontos de vista quantos forem possíveis.

Essa é a lição de Babel: pensar que nós, enquanto espécie humana, podemos nos juntar para alterar as forças da natureza ou nos rebelar contra as forças superiores sobre as quais não temos nenhum controle é a forma suprema de arrogância. Por esse erro, nós tivemos que ser separados, falando diferentes línguas e ocupando lugares tão dispersos que passamos a sentir falta de como as coisas costumavam ser e a tentar reparar o dano para que possamos um dia voltar a nos unir para sempre.

❈ ❈ ❈ ❈

A carta *Bet* costuma ser tirada pela pessoa que está em **conflito**. Você está vendo as coisas de uma só maneira, quando, na realidade, precisa olhar para a situação de uma infinidade de ângulos alternativos. Considere a questão de sua consulta de diferentes perspectivas, colocando-se na posição contrária e pensando nas várias possibilidades de tomar iniciativa em vez de simplesmente reagir.

Medite sobre a lenda da Torre de Babel. Imagine o calor da animosidade que levou aquelas pessoas a construírem uma torre tão portentosa.

Agora, respire... e imagine como o mundo poderia ter sido se não tivéssemos presumido que com nossa força e poder seríamos literalmente capazes de subir ao céu e alterar as forças da natureza.

Nada é tão simples como supomos inicialmente: ao contrário, a vida é uma teia intricada de perspectivas e prioridades. Você só consegue encontrar a paz quando vê as coisas de muitos diferentes ângulos e, então, chega a entender mais claramente a verdade de seu próprio coração.

✵ ✵ ✵ ✵

3
ג
Gimmel
גר
Ger
(O Estrangeiro)

Se o estrangeiro peregrinar na vossa terra, não o oprimireis. Como o natural, será entre vós o estrangeiro que peregrina convosco; amá-lo-eis como a vós mesmos, pois estrangeiros fostes na terra do Egito. Eu sou o Senhor, vosso Deus.

Levítico 19:33-34

O Antigo Testamento repete muitas vezes a questão do "amar a seu próximo", lembrando-nos das vezes em que nós mesmos fomos "estrangeiros em terra estrangeira" para que sejamos mais sensíveis para com os outros que se encontram na condição de minoria reprimida. Devido à sua própria história de escravidão, seja ela literal ou metafórica, você deveria saber como se sente fora do seu próprio elemento e fazer um esforço para incluir e aceitar essas pessoas que são diferentes de você, mas que vivem em meio aos seus.

Muito embora o tempo que os judeus passaram no Egito tenha sido de opressão, escravidão e humilhação, eles também puderam sentir que estavam estabelecidos ali, por bem e por mal. Na verdade, quando Moisés conduziu os judeus para fora do Egito e eles iniciaram a jornada em direção à libertação e à Terra Prometida, metade dos ex-escravos decidiu permanecer, uma vez que para eles, uma realidade conhecida, mesmo que fosse horrível, parecia ser melhor do que o desconhecido. Mesmo aqueles que partiram com Moisés a certa altura entraram em pânico diante da árdua jornada e começaram a se perguntar se não teria sido melhor a permanência no Egito, onde eles pelo menos já sabiam o que podiam esperar.

De certa maneira, esse desejo de retornar à escravidão faz sentido — depois de tantos anos vivendo uma realidade cruel, é extremamente difícil mudar a mente para assumir uma atitude de pessoa livre. É por isso que nós devemos ser gentis para com o estrangeiro, para encorajá-lo a adaptar-se ao novo ambiente e não retornar a um passado de sofrimento. E mesmo que o estrangeiro esteja apenas "de passagem" e não necessariamente participando de nossa comunidade específica, nós deveríamos encorajá-lo a tirar o máximo proveito dessa jornada enquanto estiver nela.

A palavra *Ger* costuma ser traduzida como "convertido" e a forma verbal, *Lagor*, significa "morar". Nesta passagem, podemos ver que um *Ger* não é apenas alguém que se converteu oficialmente a uma nova religião ou sociedade, mas também um estrangeiro, um forasteiro que vive em meio a um novo grupo de pessoas e a um conjunto de costumes. Todos nós fomos *Gers* em um ou outro momento de nossa vida: mudança para outra cidade, saída de casa para estudar na universidade, transferência de lugar de trabalho, viagens para países longínquos ou uma simples mudança no modo de ver o mundo, motivos pelos quais todos nós nos tornamos de alguma maneira convertidos.

Em certa medida, essa condição de "estranheza", a experiência de estar vivendo em terra estrangeira, é essencial para a Cabala. Pode parecer estranho que essa frase seja usada em sentido positivo num texto tradicional. Mas quando ela é examinada de uma perspectiva cabalística, faz muito sentido: às vezes, é necessário o caos para mostrar-nos o caminho para a ordem e a iluminação e, em outras, precisamos tomar o caminho menos percorrido para encontrarmos o nosso próprio rumo.

※ ※ ※ ※

A carta do *Gimmel* aparece quando você está sofrendo de **julgamento** impróprio. Ou você está se sentindo julgado ou está julgando os outros inadequadamente, seja de forma consciente ou inconsciente. Você pode estar se sentindo como um estranho, excluído, no contexto do trabalho, do convívio social ou espiritualmente. Ou, pelo contrário, você pode estar se sentindo *demasiadamente* incluído, a ponto de você não aceitar ninguém de fora de seu círculo mais próximo.

Trata-se de um desafio que envolve a identidade: todos nós temos que alcançar o delicado equilíbrio entre saber quem somos e de onde viemos e aceitar o Outro em nossa vida como igualmente válido. Essa, com certeza, não é uma tarefa fácil. Conhecer a si mesmo já é difícil o bastante; aceitar o Outro é, às vezes, quase impossível.

Abra-se para experiências novas e diferentes: ouça as histórias das pessoas que você encontra na sua jornada pela vida e aprecie os lugares onde elas estiveram, sem deixar de compartilhar suas próprias experiências de exílio e redenção. Apenas abrindo-se para os outros e aceitando-os, você vai ampliar sua visão de mundo e ficar totalmente em paz com sua própria vida.

4
ד
Dalet
לדבק
LeDavek
(Aderir, unir)

Disse mais o Senhor Deus: "Não é bom que o homem esteja só: far-lhe-ei uma auxiliadora que lhe seja idônea."... Então, o Senhor Deus fez cair pesado sono sobre o homem, e este adormeceu; tomou uma das suas costelas e fechou o lugar com carne. E a costela que o Senhor Deus tomara ao homem, transformou-a numa mulher e lha trouxe. E disse o homem: "Esta, afinal, é osso dos meus ossos e carne da minha carne; chamar-se-á varoa, porquanto do varão foi tomada." Por isso, deixa o homem pai e mãe e se une à sua mulher, tornando-se os dois uma só carne.

Gênesis 2:18, 21-24

A Adão, o primeiro homem, foi atribuída a tarefa de nomear todas as plantas e todos os animais da terra. Nesse processo, ele percebeu que para cada animal macho havia uma fêmea correspondente e que só ele estava sozinho neste mundo. Nenhum dos animais parecia igualar-se a ele e tampouco nenhum deles tinha as capacidades de pensar e de se expressar com as quais ele havia sido dotado.

Como Adão acabou se entristecendo com esse fato, Deus criou a Mulher. No início, Adão ficou tão espantado diante dessa criatura, um ser humano feito literalmente de uma parte de si mesmo e obviamente com o propósito de ser sua companheira de vida, que não conseguiu encontrar o nome certo para ela. E, por isso, ele usou a palavra *isso* para descrever sua nova companheira!

A Mulher representou uma nova realidade para Adão. Apesar de ter a capacidade para dar nomes aos animais quase imediata e instintivamente, quando diante de um novo ser humano, Adão ficou de certa maneira quase sem fala. A Mulher, em outras palavras, apresentou para Adão o desafio de ser considerada sua semelhante.

Na realidade, a expressão *ezer kenegdo* (traduzida aqui como "uma ajudante à altura dele") significa literalmente "uma ajudante em oposição a ele". Isso não é para ser tomado negativamente; pelo contrário, quando duas pessoas que foram feitas realmente uma para a outra se unem, elas se ajudam mutuamente ao se desafiarem mutuamente — deixando a outra de certa maneira quase sem fala — e, com isso, elas aprendem um novo modo de se relacionar com o mundo e, portanto, se tornam adultas plenamente conscientes.

A Mulher, que passaremos a conhecer como Eva (*Chava* em hebraico), logo irá comer do fruto proibido da Árvore do Conhecimento do Bem e do Mal e, em conseqüência disso, o casal será expulso do Jardim do Éden, dando início à longa história da humanidade — que é cheia de lutas e sofrimentos, mas também de prazer. Mas aqui, nesses primeiros instantes da criação de Eva, Adão percebe que a união deles é algo que nunca mais acontecerá da mesma maneira. Homens e mulheres se acasalarão, mas jamais voltarão a ser criados da mesma carne e dos mesmos ossos, e Adão reconhece isso muito claramente.

O verbo hebraico *LeDavek* significa "aderir", apegar-se firmemente a algo. Assim como duas pessoas se tornam literalmente uma no ato sexual, elas também se tornam uma emocionalmente e espiritualmente quando se unem como parceiros de vida e juntas decidem criar uma nova unidade familiar. Para fazer isso com integridade de sentimentos, elas têm que deixar para trás o primeiro lar, os primeiros vínculos com os pais e irmãos e colocar essa nova pessoa em primeiro lugar. Esse tipo de vínculo estreito precisa ser levado muito a sério e tomado com intenções verdadeiras — em outras palavras, para estabelecer um matrimônio verdadeiro e duradouro, as pessoas precisam apegar-se uma à outra, o que é diferente de qualquer outro vínculo que tenha tido até então.

A letra *Dalet*, entretanto, não sugere fechamento, mas antes abertura. Observe sua forma: uma linha vertical e uma linha horizontal curta em cima. O caractere é formado de dois lados abertos, ilustrando o tipo de ampla abertura e disponibilidade necessário para a pessoa encontrar aquela à qual queira aderir.

A primeira união é como a dicotomia máxima yin/yang: Adão e Eva são feitos da mesma matéria, embora sejam contrários. Eles completam um ao outro e formam uma nova unidade total da qual vai nascer o resto da humanidade, embora eles sejam, desde o início, pessoas totalmente diferentes e com maneiras totalmente diferentes de encarar a vida. Apesar de eles não terem enfrentado os mesmos desafios que nós enfrentamos hoje (eles só tinham um ao outro para escolher, enquanto nós temos milhares de possibilidades ao nosso dispor!), eles continuam sendo o nosso primeiro modelo da abertura necessária para a escolha de uma pessoa dentre todas as outras.

❋ ❋ ❋ ❋

A carta *Dalet* representa o **paradoxo das relações**. Assim como Eva foi a companheira insuperável de Adão, ela também foi a causa de sua vida de sofrimento, os nossos esforços espirituais são tanto o que nos leva à suprema realização quanto o que nos mantém acordados à noite, indagando sobre o sentido da vida.

A palavra *Deveikut*, que designa o ato da união, não é usada apenas no contexto das relações românticas. É verdade que os casais de amantes se ligam um a outro, mas os indivíduos também se juntam para apoiar redes, e as almas aderem a uma força superior que as sustenta nos momentos mais obscuros. E, muitas vezes, é justamente a pessoa ou a idéia com a qual temos mais dificuldade que vai nos ensinar as lições mais importantes da vida.

Concentre-se no lado aberto do *Dalet* e permita-se ser aberto à dependência. Você sempre será o seu próprio ser único, embora possa muitas vezes temer perder essa individualidade ao fundir-se na vida de outra pessoa. Saiba que, se estiver suficientemente aberto para elas, as relações nas quais você se envolve terão poder de simplesmente criar mundos totalmente novos.

5
ה
Heh
הנני
Hinneni
("Eu estou aqui")

Apascentava Moisés o rebanho de Jetro, seu sogro, sacerdote de Midiã; e, levando o rebanho para o lado ocidental do deserto, chegou ao monte de Deus, a Horeb. Apareceu-lhe o anjo do Senhor numa chama de fogo, no meio duma sarça; Moisés olhou, e eis que a sarça ardia no fogo e a sarça não se consumia. Então, disse consigo mesmo: "Irei para lá e verei essa grande maravilha; por que a sarça não se queima?" Vendo o Senhor que ele se voltava para ver, Deus, do meio da sarça, o chamou e disse: "Moisés! Moisés!" Ele respondeu: "Eis-me aqui!"

Êxodo 3:1-4

O episódio da sarça ardente marca o começo do Êxodo do Egito simplesmente porque é o evento que transforma Moisés num profeta, completando seu processo de transição pessoal. Moisés deixou de ser uma criança órfã (quando sua mãe colocou-o num cesto que soltou no Rio Nilo para salvá-lo do decreto cruel do Faraó contra todos os recém-nascidos judeus do sexo masculino) para ser um príncipe (depois de ter sido adotado pela filha do Faraó e criado no palácio); depois um pastor de ovelhas (quando toma conhecimento de sua verdadeira identidade e foge do Egito, juntando-se a Jetro em Midiã e desposando sua filha); até finalmente tornar-se o grande líder que conhecemos — o libertador — no momento desse episódio no deserto.

Assim como as muitas transições e mudanças que já havia passado em sua vida, e estava, portanto, preparado para cumprir seu destino de libertador do povo judeu da escravidão, a própria profecia de Moisés compreende vários estágios: (1) Ele vai para o deserto; (2) vê um anjo; (3) ele nota que a sarça está em chamas, mas não é consumida pelo fogo; (4) só então a voz de Deus se faz ouvir. E quando Deus fala para Moisés, Ele tem que dizer duas vezes seu nome, para que Moisés tenha a certeza de que o que está ouvindo é realidade e não uma mera invenção de sua imaginação.

Após todos esses estágios de elevação de sua consciência, Moisés simplesmente responde, *"Hinneni"* ("Eu estou aqui!"), a mesma palavra usada por Abraão, Isaque e Jacó em suas experiências de profecia.

A resposta direta pode parecer surpreendente — afinal, Deus obviamente sabe que Moisés está "ali", senão não teria Se revelado. Mas se pensarmos melhor, veremos que faz ela todo sentido. Moisés precisava olhar na direção da sarça, ter clareza do que estava acontecendo; ouvir seu nome sendo chamado e afirmar que, sim, ele estava preparado para receber a mensagem que lhe seria agora transmitida e cumpriria a missão que logo seria colocada diante dele. Toda a sua vida havia sido uma longa jornada até esse momento: quando ele seria capaz de reconhecer seus próprios poderes e responder diretamente a Deus, entrando num diálogo com Ele que não apenas iria mudar o curso da história, mas também mudar completamente a sua própria vida.

Certos comentadores da Bíblia observam que o lugar em que a sarça ardente apareceu para Moisés era, na realidade, o mesmo em que a Torá seria transmitida muitos anos depois, ou seja, o Monte Sinai. O fato de o primeiro despertar de Moisés para seu papel de profeta e o de sua mais importante missão nesse papel terem ocorrido no mesmo lugar não foi por acaso. Assim como Moisés precisava reconhecer o seu lugar nessa lenda épica, também cada um de seus seguidores tinha que se reconhecer no ato da transmissão da Torá e na Revelação que ela trazia.

A letra *Heh* corresponde ao número cinco, que é também o número que indica o total de sentidos físicos que recebemos ao nascer: visão, audição, tato, paladar e olfato. Mas existe ainda um sexto sentido, aquele que associamos com a espiritualidade que só pode ser realizada por nós mesmos, por meio de nossas próprias jornadas para novos níveis de consciência e de profundidade emocional. Esse é o sexto sentido que Moisés reconhece diante da sarça ardente e é esse mesmo sentido que irá ajudá-lo em todas as provações e tribulações envolvidas numa missão como a de conduzir seu povo à libertação da escravidão.

Para alcançar esse sexto sentido, de acordo com os ensinamentos da palavra *Hinneni*, nós temos que primeiro ter o domínio dos cinco sentidos originais, aprendendo a nos conhecer literalmente em nossos estados físicos e, finalmente, aprendendo a ir além desse mundo limitado para o mundo miraculoso que existe além e acima dele.

※ ※ ※ ※

ORÁCULO CABALÍSTICO

A carta *Heh* aparece para a pessoa que se encontra em período de **transição** e crescimento pessoal significativo. É possível que você esteja passando de uma fase de sua vida para outra, chegando a uma idade ou realizando alguma conquista marcante, ou simplesmente encontre-se num processo de amadurecimento e aprofundamento. Você foi o mais longe possível, de acordo com seu entendimento físico limitado de uma fase e está na iminência de desenvolver seu próprio sexto sentido.

Dê-se tempo para entender onde tem estado e como toda a sua vida trouxe você até aqui, em termos de tempo e lugar no mundo. Nada acontece por acaso — afinal, o monte no qual Moisés viu a sarça ardente é o mesmo lugar onde Abraão amarrou Isaque e onde a Torá foi revelada. Portanto, não tome nem mesmo os detalhes aparentemente mais insignificantes como óbvios.

Saiba que respondendo ao chamado, estando presente no momento da transição e sendo capaz de dizer "*Hinneni*", você já estará fazendo mais do que jamais fez.

❈ ❈ ❈ ❈

6
ו
Vav
וידוי
Vidui
(Confissão)

Quando homem ou mulher cometer algum dos pecados em que caem os homens, ofendendo ao Senhor, tal pessoa é culpada. Confessará o pecado que cometer; e, pela culpa, fará plena restituição, e lhe acrescentará a sua quinta parte, e dará tudo àquele contra quem se fez culpado.

Números 5:6-7

O conceito judaico de confissão e reparação dos pecados é baseado nessa passagem da Bíblia, que trata de uma pessoa desonesta com respeito a questões financeiras (roubo, retenção de salário, trapacear uma pessoa num empréstimo entre outras). Como esses pecados são considerados não apenas afrontas à vítima, mas também a Deus, Deus exige que o pecador se arrependa, confesse e pague a quantia de dinheiro roubada com juros para poder ser perdoado.

A atividade mais importante do Yom Kippur, o Dia da Reconciliação, é chamada de *Vidui*, que quer dizer "confissão" e não "reparação". Pode parecer estranho que a atividade mais importante desse dia mais sagrado do ano seja as confissões que os penitentes devem fazer em voz alta, às vezes juntos com o resto da congregação. Afinal, o arrependimento não é um processo interior, uma conversa pessoal que cada um tem com Deus? A resposta é sim e não. Apesar de o arrependimento se dar em nosso coração, sem a confissão — isso é, o ato de dizer "Eu pequei" e admitir a própria culpa — jamais nos arrependemos verdadeiramente, fazemos a reparação nem somos capazes de seguir em frente no sentido de reparar os danos cometidos.

A letra *Vav* é mais comumente conhecida como o prefixo usado para denotar a palavra "e" e, como tal, ela é encontrada centenas de vezes na Bíblia, ligando palavras e conceitos. *Vidui* tem um propósito semelhante: como o seu passado informa o seu presente e o seu futuro, a honestidade para consigo mesmo — isto é, admitir suas falhas e expressar remorso pelos erros cometidos — irá ajudar a ligar o passado ao futuro de uma maneira mais produtiva. Expressar sua culpa em voz alta e enfrentar as conseqüências permite que você prossiga em sua vida e ajuda realmente a alcançar o autoconhecimento.

É especialmente interessante notar que no judaísmo, a confissão (*Vidui*) é feita não apenas no Yom Kippur, mas também no dia em que a pessoa se casa e quando se encontra no leito de morte. Segundo a tradição judaica, a noiva e o noivo, imersos no *mikveh* (banho ritualístico), fazem jejum até o dia do casamento e recitam as orações do Yom Kippur imediatamente antes de irem para a cerimônia. A noiva também usa tradicionalmente um vestido branco e o noivo um manto branco, chamado *kittl*, o qual no futuro será usado para ir à sinagoga todos os anos no Yom Kippur e, finalmente, servir como a vestimenta com a qual será sepultado. O dia do casamento é conhecido como um Yom Kippur próprio para o casal, em que cada um deve refletir sobre sua própria vida até o momento presente, perceber o que está faltando em sua vida e purificar-se tanto física quanto espiritualmente para o futuro.

Os elos — as letras *Vavs* — que ligam esses três momentos da vida (Dia de Reconciliação, casamento e morte) são mais do que simbólicos. O *Vidui* nos leva a um lugar de purificação e de autoconhecimento, que é crucial em qualquer evento importante que marca a nossa vida. Reconhecer as próprias faltas uma vez por ano, esforçar-se por passar uma esponja no passado para recomeçar a vida de casado e fazer as pazes com Deus antes de morrer são todos elementos essenciais de uma vida verdadeiramente realizada.

※ ※ ※ ※

A carta *Vav* aparece numa consulta quando a pessoa está necessitando fazer algum tipo de confissão. Essa necessidade pode não ter nada a ver com "pecado" ou falhas. Mas simplesmente, de tempos em tempos, todos nós precisamos admitir certas verdades para nós mesmos, assumir nossos atos em voz alta e **assumir a responsabilidade** pelo que fizemos.

O passado não deixará de atormentá-lo enquanto você não lidar devidamente com ele; portanto, não espere ter o controle de sua vida. Permita-se dizer o que precisa ser dito. O resto é conseqüência.

※ ※ ※ ※

7

ז

Zayin

זכור את יום השבת
Zachor et Yom HaShabbat
(Lembrar do Sabbath, Dia do Descanso)

Lembra-te do dia de sábado, para o santificar. Seis dias trabalharás e farás toda a tua obra. Mas o sétimo dia é o sábado do Senhor, teu Deus; não farás nenhum trabalho, nem tu, nem o teu filho, nem a tua filha, nem o teu servo, nem a tua serva, nem o teu animal, nem o forasteiro das tuas portas para dentro; porque, em seis dias, fez o Senhor os céus e a terra, o mar e tudo o que neles há e, ao sétimo dia, descansou; por isso, o Senhor abençoou o dia de sábado e o santificou.

Êxodo 20:8-11

Como *Zayin* é a sétima letra do alfabeto hebraico, faz sentido que o mandamento para observar o dia do descanso, o Sabbath (que, no judaísmo, é o sétimo dia da semana), comece com a palavra *Zachor* ("lembrar"). Por que esse mandamento diz para "lembrar" e "santificar" em vez de "fazer" alguma atividade? E por que a passagem acima também diz que não apenas os chefes de família devem deixar de trabalhar, mas também todo o círculo ampliado da família — incluindo os animais?

Abraham Joshua Heschel, um dos mais importantes filósofos judeus do século XX, escreveu que o Sabbath nos traz para a esfera do tempo e nos afasta da esfera do espaço. Como passamos a vida inteira vendo o mundo em termos de objetos físicos — coisas que desejamos possuir, lugares que queremos ver e assim por diante — é importante tirar um dia para enfocar objetos invisíveis como "momentos sagrados" no tempo. Você não consegue ver, tocar ou ouvir uma experiência espiritual, mas você a sente num nível superior e pode recordá-la todos os dias pelo resto de sua vida.

Se você escalasse até o topo de uma montanha e incluísse na visão a sensação que você teria — a consciência da beleza da natureza —, seria uma experiência de tempo e não de espaço. Você aprecia a paisagem física, sim, mas seu sentimento de comunhão com aquele mundo físico é totalmente espiritual. Isso é o que acontece no sétimo dia da criação: Deus criou o céu e a terra, os mares, os animais, as plantas e a raça humana; e finalmente, no sétimo dia, Ele lança um olhar sobre tudo que fez, decide fazer uma pausa e faz dessa pausa uma parte regular do ritmo da vida na terra — uma parte sagrada.

O Sabbath é a primeira coisa de toda a criação que foi descrita como "sagrada". Mas como você pode santificar algo que não é físico? Como pode um dia, que não é nada mais do que um conceito mental que usamos para marcar o tempo e observar o curso da história, tornar-se um objeto sagrado? Heschel respondeu que celebrar o Sabbath é uma maneira de celebrar a "sacralidade do tempo", uma maneira de assumir o controle sobre nossa vida e nos voltarmos para nós mesmos. E para fazermos isso, nós temos não apenas que parar de trabalhar fisicamente, mas também que nos colocar em um ambiente onde tudo ao redor e todos que fazem parte de nossa vida, também façam essa pausa.

Durante seis dias da semana, nós utilizamos as nossas capacidades para dominar o mundo ao nosso redor — trabalhando, construindo, criando novos objetos e coisas desse tipo. É importante, então, usar o sétimo dia para construir a *nós mesmos*, parar de trabalhar e simplesmente contemplar a beleza do mundo ao nosso redor. É como se toda a semana fosse a escalada para o topo da montanha e o Sabbath fosse a pausa que fazemos quando chegamos ao topo — onde podemos finalmente ver tudo de uma nova perspectiva.

Em todas as religiões, existe um Dia de descanso, embora varie de tradição para tradição quanto a qual o dia da semana. O que é comum a todas elas é a idéia de um dia santificado e destacado do resto da semana. O conceito de um dia de descanso também faz parte da Cabala — é a própria essência da lei da limitação, a disposição de nossa vida que nos permite ganhar muito mais simplesmente fazendo menos.

❈ ❈ ❈ ❈

A carta *Zayin* é um lembrete de que você precisa parar e permitir-se experimentar o **silêncio**.

As semanas passam-se em ciclos de atividades e experiências que se repetem incessantemente — trabalhar, comer, dormir; trabalhar, comer, dormir. Muitas vezes consideramos os períodos de descanso como sendo perda de tempo, mas a verdade é que o silêncio, a meditação e as experiências espirituais são os momentos mais gratificantes de nossa vida.

Conhecer e valorizar a importância do dia do Sabbath é uma coisa — lembrá-lo, *Zachor*, é algo completamente diferente. O conhecer é um ato teórico, enquanto lembrar é um ato prático.

Encontre uma maneira de fazer do Sabbath uma realidade para você, um dia sagrado destacado do resto da semana, para simplesmente *ser* e não ter que *fazer* nada.

8
ח
Chet
חלה
Challah

... ao comerdes do pão da terra, apresentareis oferta ao Senhor. Das primícias da vossa farinha grossa apresentareis um bolo como oferta; como oferta da eira, assim o apresentareis.

Números 15:19-20

A Bíblia refere-se muitas vezes ao conceito de "reservar": grãos das lavouras deviam ser reservados para os pobres; as primeiras frutas de cada estação deviam ser apresentadas como oferendas durante os festivais de colheita; animais eram sacrificados como oferendas nos tempos do Templo Sagrado; e 10% da renda da pessoa devia ser reservado para caridade. Na passagem acima, os judeus são orientados a reservarem uma porção do primeiro pão de cada fornada que assarem para o Sumo Sacerdote.

Hoje, quando não existe mais o Templo Sagrado no centro da vida cerimonial judaica e os Sacerdotes não exercem mais a mesma função, o mandamento passa a ser: um pedaço de massa é tirado da primeira fornada e jogado no fundo do forno para queimar, simbolizando a destruição do Templo e o exílio que resultou dessa destruição. Existem inúmeros costumes que retratam a perda do Templo, tais como a substituição de sacrifícios por serviços cerimoniais, usando sal no pão para simbolizar a amargura de viver num mundo imperfeito e deixando uma pequena parte de uma casa recém-construída inacabada para representar a destruição da estrutura física do Templo.

Mas *"Tomar o Challah"*, como é chamado o costume, significa mais do que meramente preservar um antigo e hoje praticamente irrelevante mandamento. Ao removermos fisicamente um pequeno pedaço de massa e impossibilitá-lo de ser comido, chegando mesmo a rejeitá-lo totalmente, estaremos nos lembrando que tudo que possuímos é provisório. Você pode achar que toda a massa é sua — afinal, você pagou pelos ingredientes, misturou-os e observou a sua fermentação — mas, na realidade, nada pertence apenas a você. O trigo e os ovos lhe são providos, além da água, por uma fonte superior e, deixando que parte dessa provisão se vá, você está reconhecendo essa fonte.

A raiz da palavra *Challah* não tem, na verdade, nada a ver com pão (que, em hebraico, se chama *lechem*); ela é *chol*, que significa "ordinário". Os dias da semana são divididos em *Shabbat* e *chol*, Sábado e dias úteis. *Challah*, a comida santificada apesar de suas origens ordinárias, é feita para ser comida no Sábado. Algo tão ordinário como o trigo é elevado a um nível no qual possa ser abençoado e santificado como parte integrante da refeição do Sábado.

O conceito de *Challah* estende-se à nossa vida: todos nós precisamos aprender a lição cabalística de compartilhar para equilibrar as energias do universo. O que possuímos não é nunca inteiramente nosso e podemos nunca necessitar realmente de todos os objetos em nossa posse. É crucial tornar o ato de dar parte de nossa consciência, seja para reconhecer o poder superior que protege a nós todos, lembrar a dura realidade da vida ou dar graças pelo que já possuímos.

⁂

Quando a carta *Chet* aparece numa consulta é para nos ensinar como **abrir mão** do que não necessitamos. Podemos sobreviver somente com pão e água, mas ainda assim buscamos coisas incrivelmente sofisticadas, como se fossem necessárias.

É hora de abrir mão. Doe as peças de roupa que não usa mais para uma instituição de caridade; doe suprimentos de comida a uma instituição que serve sopa aos necessitados; faça uma lista de suas dependências e, em seguida, ponha fogo nela. Depois disso, você vai sentir uma liberdade muito maior.

⁂

9
ט
Tet

טוב
Tov
(Bondade)

Viu Deus tudo quanto fizera, e eis que era muito bom. Houve tarde e manhã, o sexto dia.

Gênesis 1:31

Ao término de cada dia dos primeiros dias da criação, Deus contempla o que fez e todas as vezes considera que foi "bom". Mas no último dia, depois de ter criado a humanidade, e o mundo ter a sua forma final e estar pronto para funcionar por si mesmo, Ele o declara "muito bom". Muitos comentadores apontam para o fato de apesar de o mundo ser um "bom" lugar mesmo sem os seres humanos, com eles, o mundo pôde realizar seu potencial máximo. Quando a raça humana foi criada, o mundo tornou-se um lugar "muito bom", no qual tudo poderia acontecer.

Dificilmente nós apreciamos o mundo no qual vivemos e as realidades mundanas de nossa vida. Ar para respirar, alimento para comer, solo sobre o qual caminhar e luz solar para nos dar energia, tudo isso é tomado como certo. E mais importante, nós não apenas tomamos por certo o mundo da natureza ao nosso redor e os milagres diários da vida na terra, mas ficamos tão apegados à nossa percepção distorcida das coisas que o planeta pode chegar a nos parecer um lugar repleto de energia negativa.

Observe um bebê e você vai se lembrar do quanto o nosso mundo é um Lugar fascinante. O recém-nascido vê tudo como sendo novo e maravilhoso, cheio de cores, sons e odores — ele nota coisas que nós mal conseguimos perceber. É assim que o mundo deve ter parecido para Deus no sexto dia da criação. Ao afirmar sua bondade essencial, ele nos incentivou a ver o mundo renovado a cada dia em lugar de tomá-lo por certo.

A *Tet* é a nona letra do alfabeto hebraico e seu símbolo é desenhado como uma estrutura quase fechada com uma parte interna protegida. Essa representa os nove meses de gravidez, o estado de espera repleto de expectativas, curiosidades e consciência dos milagres da natureza. Ela também simboliza concretização, a conclusão do processo de concepção: nascimento, uma nova vida e a criação de um mundo totalmente novo, um universo pessoal.

Tov, bondade, é o nosso estado natural de ser. Quando bebês, somos intrinsecamente bons, ligados somente à natureza. É só quando crescemos e nos distanciamos de nossa bondade inata que nos esquecemos de apreciar os pequenos milagres da vida cotidiana.

Essa declaração feita no princípio dos tempos nos ensina a sermos gratos ao mundo em que estamos vivendo neste momento, e não esperar até sermos velhos e frágeis para lamentarmos a vida perdida. Devemos procurar olhar para o mundo como se ele estivesse sendo criado a cada novo dia.

❈ ❈ ❈ ❈

A carta *Tet* proporciona a você um sentimento de **gratidão** pelo que tem neste mundo.

Você só enxerga o que não tem, como as coisas que deseja possuir e o status que deseja alcançar? Ou você reconhece que a sua vida e o mundo ao seu redor são *tov me'od*, ou seja, muito bons?

A criação não é algo que aconteceu apenas uma vez, no princípio dos tempos. Cada respiração é uma nova criação, cada segundo é o começo de uma nova existência. Perder isso de vista é deixar de ver o lado bom de nossa vida. Portanto, esta carta está pedindo para você ver o mundo com os olhos de um recém-nascido e valorizar a bondade.

※ ※ ※ ※

10

י

Yud

יוסף
Yosef
(José)

Disse José a seus irmãos: "Agora chegai-vos a mim." E chegaram-se. Então, disse: "Eu sou José, vosso irmão — a quem vendestes para o Egito. Agora, pois, não vos entristeçais, nem vos irriteis contra vós mesmos por me haverdes vendido para aqui; porque, para conservação da vida, Deus me enviou adiante de vós. Porque já houve dois anos de fome na terra, e ainda restam cinco anos em que não haverá lavoura nem colheita. Deus me enviou adiante de vós, para conservar vossa sucessão na terra e para vos preservar a vida por um grande livramento. Assim, não fostes vós que me enviastes para cá, e sim Deus, que me pôs por pai de Faraó, e senhor de toda a sua casa, e como governador em toda a terra do Egito."

Gênesis 45:4-8

A lenda de José é uma das mais dramáticas de toda a história. Nascido como primeiro filho de Jacó com sua amada esposa, Raquel, José é um dos doze filhos que formarão as doze tribos de Israel. Mas José é diferente de seus irmãos, que são filhos de Lia e de duas servas — ele é obviamente o preferido e o herdeiro espiritual da família. Ele e seu irmão menor, Benjamin, que nasceu de Raquel, que morreu ao pari-lo, foram sempre tratados de maneira diferente dos outros dez meninos.

Quando, já adolescente, José começou a ter sonhos de superioridade — sonhos nos quais ele prevê que seus irmãos irão um dia curvar-se diante dele —, seus irmãos decidem que já tiveram o bastante desse "sonhador". Eles o jogam numa fossa escura e o vendem como escravo. Depois disso, eles tiram sua túnica especialmente multicolorida, embebem-na em sangue como prova de que ele foi morto. Eles então vão até Jacó e comunicam a "morte" do irmão.

Entretanto, em vez de desaparecer na obscuridade de uma vida de escravo, uma vez no Egito, José conseguiu usar seus talentos para subir ao topo, interpretando sonhos e ganhando uma reputação que iria conduzi-lo ao palácio do Faraó para interpretar as visões inexplicáveis do governante. Quando José se mostrou capaz de ver a mensagem oculta nos sonhos do Faraó com sete vacas magras devorando sete vacas gordas como sinal de sete anos de abundância seguidos de sete anos de miséria, ele foi promovido a segundo comandante do Faraó e abriu seu caminho para o comando do Egito num período crucial da história.

Quando a fome se instalou, Jacó enviou seus outros filhos para o Egito em busca de provisões — e, assim, eles entraram em contato com o irmão que atraiçoaram tantos anos antes. Não reconhecendo o José já adulto, seus irmãos curvaram-se diante do homem que eles tomaram por um líder egípcio.

Depois de muitos meses testando os homens e mandando-os de um lado para outro entre o Egito e Canaã, José finalmente se revelou como o irmão há muito perdido e mandou buscar seu pai. Depois de todo esse tempo, o seu sonho inicial finalmente se concretizou: ele conseguiu tal posição de poder que seus irmãos se curvaram diante dele e, assim, ele teve sua vingança. Mas em vez de demonstrar sua dor e raiva, José disse a eles que entendia que tudo que havia acontecido foi para levá-lo onde estava — a inveja deles e a trama contra ele, o tempo que servira como escravo e tudo mais —, era para ser, porque em conseqüência disso, ele era capaz de prover alimento para a família numa época de fome devastadora.

A maioria de nós não consegue nem imaginar-se no lugar de José, sendo tão "grande" quanto ele foi. A raiva que sentimos contra o que aconteceu no passado torna-se uma força que domina os nossos atos. Mas José, talvez pela quantidade de tempo que havia se passado, ou talvez pelo conhecimento inato da natureza do mundo, vê o reencontro de maneira diferente: ele quer se assegurar de que seus irmãos estão arrependidos de seus atos, mas quando percebe o remorso deles, ele parece abrir mão de sua própria raiva e necessidade de vingança. Dessa maneira, José consegue centrar-se no presente em vez de no passado e se dispor a seguir em frente com sua família agora reunida.

A vida toda de José foi de sonhos e realizações. Sendo um sonhador nato, ele sempre soube que as imagens que via em sua mente não eram meros produtos de sua imaginação, mas sinais de coisas que iriam acontecer em sua vida real. Quando jovem, esse conhecimento era visto como esnobismo, mas já adulto, amadurecido por suas árduas experiências, o seu dom passou a ser valorizado e acabou levando-o a reunir-se com a família.

O *Yud*, sendo a menor letra do alfabeto hebraico, é muitas vezes considerado como sendo um "ponto". Esse ponto minúsculo encontra-se no âmago de nosso coração — é a força propulsora que nos move de uma fase da vida para outra, a motivação que nos acompanha em cada ação que realizamos. José sofreu por seu ponto essencial (seu talento), mas com o tempo, ficou claro para todos que ele não era um mero sonhador, mas um profeta e que todos os seus sonhos um dia se tornariam realidade.

❖ ❖ ❖ ❖

A carta *Yud* aparece em momentos de escuridão física ou espiritual. Como José, você foi lançado numa cisterna metafórica e terá que redefinir sua vida. Você pode se sentir incompreendido, não valorizado ou simplesmente confuso — a única saída dessa escuridão é pelo reconhecimento do pequeno ponto em sua alma que o leva a seguir em frente na vida.

José ensina sobre o poder de acreditar em si mesmo. Você precisa saber que sua vida é sempre repleta de propósitos e que tudo que acontece com você tem uma razão de ser. A chave para a realização pessoal está no reconhecimento de sua singularidade e, então, em aprender como aplicar seus talentos especiais para mudar seu mundo e chegar a uma compreensão clara de seu passado, presente e futuro.

Medite sobre o poder do **perdão**. Procure ser mais como José que, por ter perdoado seus irmãos pelos atos cometidos, consegue reunir de volta a sua família.

❖ ❖ ❖ ❖

11
כ
Caph
כלב
Calev
(Calebe)

"Porém o meu servo Calebe, visto que nele houve um outro espírito, e perseverou em seguir-me, eu o farei entrar na terra que espiou, e a sua descendência a possuirá."

Números 14:24

Depois do grande êxodo do Egito, Moisés conduziu o povo hebreu para a Terra Prometida. Mas quando se aproximavam da fronteira, eles começaram a ficar ansiosos e com medo. Para aliviar seus medos, Moisés enviou uma delegação de espiões, um de cada tribo, para observar o que se passava por lá e trazer informações que pudessem acalmar os antigos escravos. Os espiões passaram quarenta dias na Terra Prometida e voltaram relatando uma situação complicada: de fato, lá havia abundância de leite e mel, mas também de inimigos de proporções gigantescas — "Éramos, aos nossos próprios olhos, como gafanhotos e assim também o éramos aos seus olhos!", foi o que eles disseram (Números 13-33).

Ao ouvirem essa notícia, as pessoas que haviam deixado o Egito havia tão pouco tempo ficaram arrasadas. Elas não conseguiam entender por que tinham que sofrer tanto e se perguntavam se não seria melhor voltar para o Egito do que enfrentar um futuro de guerra com um inimigo insuperável. Mas dois dos espiões, Josué e Calebe, viam a situação de uma outra perspectiva.

Calebe assegura os hebreus de que eles poderão conquistar os inimigos e a Terra Prometida; na verdade, ele diz a eles que a terra é "muito, muito boa" e que, como eles têm Deus do seu lado, não têm nada com que se preocupar. Mas as pessoas não o ouvem.

Quando Deus toma conhecimento do que está acontecendo, Ele fica enfurecido. Depois de tudo que Ele fez para libertar esse povo da escravidão e levá-lo para a sua própria terra, eles ainda têm pouca fé em sua capacidade de seguirem em frente. Ele decreta, então, que ninguém, a não ser Calebe e Josué, que viram as coisas como elas realmente eram, do grupo original que havia fugido do Egito, teria permissão para entrar na Terra Prometida. Em seu lugar, esse seria o começo dos quarenta anos que passariam vagando pelo deserto, um ano para cada dia que os espiões haviam passado na Terra Prometida e só depois de passados os quarenta anos e a primeira geração ter morrido, a nova geração teria permissão para entrar nela.

O que faz com que Calebe diga: "Eia! Subamos e possuamos a terra, porque, certamente, prevaleceremos contra ela!" (Números 13:30), quando todos os outros estão claramente perdendo as esperanças? O que torna Calebe e Josué diferentes dos outros espiões e de todas as outras pessoas?

Os espiões dizem que "éramos, aos *nossos* próprios olhos, como gafanhotos" quando descrevem os gigantes que vivem na terra e o que eles, em comparação, parecem ser. Isso quer dizer que eles *se perceberam* como gafanhotos, insignificantes e fracos quando comparados com os habitantes da terra. Mas isso não quer dizer que eles eram muito menores — quer dizer que eles haviam perdido a confiança em si mesmos, que se consideravam inferiores e que viam os desafios pela frente como impossíveis de serem superados.

Isso estava acontecendo porque por anos e anos aquelas pessoas haviam sofrido como escravos no Egito e continuavam se sentindo como se fossem escravos: fracos, pequenos e amedrontados diante do grande e poderoso capataz. Os espiões haviam, de alguma maneira, projetado sua mentalidade de escravos no relatório que fizeram, e como os outros estavam imbuídos dessa mesma mentalidade, eles acreditaram.

Calebe, por outro lado, já havia superado essa mentalidade e estava preparado para aceitar as novas realidades da liberdade e da independência. Infelizmente, seriam necessários quarenta anos de trabalho emocional e cura psicológica para que os outros pudessem acompanhá-lo.

※ ※ ※ ※

A letra *Caph* é considerada como símbolo da **concretização**. Como a coroa (*keter*), que simboliza o poder humano supremo (*koach*), a letra *Caph* representa o conhecimento do potencial humano e a realização desse potencial.

Caph é também a primeira letra da palavra *kavana*, um termo importante na Cabala. *Kavana* significa "intenção", ou a energia com a qual você procura realizar coisas. O resultado de seus esforços está diretamente ligado à sua intenção. Calebe tinha boas intenções e procurou fazer com que os outros enxergassem o que ele estava vendo. Por essa pureza de intenção, ele foi recompensado com a capacidade de entrar na Terra Prometida, enquanto todos os outros foram impedidos.

Exatamente como Calebe foi capaz de ver uma realidade diferente e expressar sua confiança nela, essa carta aponta para o fato de que você deve se esforçar para ver as coisas de uma perspectiva mais ampla e não se deixar enredar pelo passado.

✳ ✳ ✳ ✳

12
ל
Lamed
לאה
Leah
(Lia)

Labão tinha duas filhas: Lia, a mais velha, e Raquel, a mais moça. Lia tinha os olhos baços, porém Raquel era formosa de porte e de semblante.

Gênesis 29:16-17

Quando Jacó viu Raquel, a filha do seu tio Labão, ele apaixonou-se à primeira vista. Por isso, ele concordou em trabalhar para Labão durante sete anos para desposá-la. Conforme prossegue a narrativa, Jacó estava tão envolvido com Raquel que os anos se passaram como se fossem minutos.

Mas na sua noite de núpcias, Lia, a filha mais velha, foi mandada para o recinto nupcial no lugar de Raquel. Pela manhã, Jacó percebeu que contraiu matrimônio com a pessoa errada e foi confrontar Labão. Mas o que estava feito estava feito e, portanto, Jacó concordou em trabalhar mais sete anos para poder se casar com a sua verdadeira amada. Pelo resto de suas vidas, as duas irmãs disputaram a atenção de Jacó, criando uma família que refletia essa rivalidade, apesar do bem maior que adviria dessa situação.

O engano é um fator importante nessa trama: não foi só Labão que enganou Jacó, mas também Raquel, ao dar à sua irmã sinais secretos de que ela e Jacó haviam combinado antes das núpcias para que Lia não ficasse constrangida. E Lia também concordou em participar da farsa.

De acordo com certos comentadores da Bíblia, quando Jacó acordou pela manhã, ele primeiro confrontou Lia, perguntando como ela tinha podido mentir e fingir que era sua irmã. Lia respondeu que havia agido de maneira muito semelhante à de seu marido recente, que certa vez mentira para seu próprio pai e fingira ser seu irmão gêmeo mau, Esaú, para obter os benefícios do primogênito. Tendo esse fato na base de seu casamento, não é de surpreender que esse triângulo amoroso tenha sido um dos mais famosos da história!

Lia é descrita como dotada de olhos "baços" — em outras palavras, ela é a menos atraente das irmãs. Enquanto alguns estudiosos da Bíblia afirmam que essa descrição indica que ela era estrábica, outros observam que seus olhos haviam se estragado de tanto chorar, a ponto de ficar com a visão fraca.

Por que Lia teria chorado tanto, mesmo antes de ter conhecido e se casado com Jacó e iniciado sua relação menos que perfeita? De acordo com fontes cabalísticas, Lia fora predestinada a se casar com Esaú e Raquel com Jacó; os dois casais deveriam gerar doze filhos homens, cada um dos quais se tornaria o chefe de uma tribo, e todas elas juntas formariam o povo judeu. Lia, que sabia que Esaú era um homem do campo que não seguiria seu destino, lamentava constantemente o fato de, por isso, não poder cumprir sua parte na história de seu povo.

Quando Jacó conheceu Raquel, ele ficou imediatamente apaixonado por ela, não só porque ela era muito bonita, mas porque eles "estavam predestinados" a serem um casal. Quando desposou Lia, ele teve que se esforçar muito para chegar a termo com as mentiras que havia pregado em sua vida e com a maneira como elas rearranjaram a saga da família limpa e ordenada que ela estava destinada a ser.

Lia foi a que melhor entendeu a situação e, apesar de sofrer por ser a esposa que era vista por todos como "a segunda opção", ela se consolou com o fato de poder, afinal, cumprir o seu destino. Casada com Jacó e tendo seis filhos dele, ela conseguiu afinal tornar-se uma matriarca.

Lia é o exemplo consumado de uma mulher de valor — alguém que sofre por seus ideais, mas que permanece irresoluta em sua fé e devoção. Depois de uma longa vida ao lado de Jacó, os dois desenvolvem um vínculo que, no final, torna-se mais forte e duradouro do que aquele que ele tivera com Raquel. Como eles tiveram que aplacar a raiva que sentiam um pelo outro e como o amor dela por ele não foi correspondido por muito tempo (a despeito da família que estavam construindo juntos), Lia e Jacó representam uma relação adulta e madura que se aprofunda e se renova com o passar do tempo. No final, é Lia quem é sepultada ao lado de Jacó quando morre e são os filhos de Lia que irão cumprir os papéis mais importantes na história como chefes da linhagem messiânica e da classe sacerdotal.

Lamed é a maior letra do aleph-bet, estendendo-se até as esferas superiores. É a letra com a qual se escreve a palavra "*lamed*", que significa "aprender" ou "ensinar". Por isso, o *Lamed* representa uma forma espiritual mais elevada de conhecimento.

Segundo a Cabala, Lia representa o mundo superior da *Shekinah* (a forma feminina de Deus) revelada, enquanto Raquel representa o mundo inferior dessa face feminina de Deus no exílio. Com isso em mente, podemos ver outra interpretação dos "olhos baços" de Lia: se os olhos são as janelas da alma, então a alma de Lia é a que reconhece o próprio sofrimento. Ela viu seu caminho na vida e assumiu seu controle, mudando as circunstâncias de sua vida para colocar as coisas em ordem. Lia assume claramente a responsabilidade por seu destino — ela é quem o revela.

❖ ❖ ❖ ❖

A carta *Lamed* vem para refletir o **conhecimento interior** de Lia. Aceite-se e entenda que quaisquer falhas que você possa achar que tem são, em essência, seus atributos mais fortes. Quando chegar a entender e aceitar realmente o seu destino, você vai encontrar os meios para realizá-lo.

Levante-se e olhe para dentro das janelas da sua própria alma — você vai encontrar os instrumentos necessários para transformar seus sonhos em realidade.

13
מ
Mem
מרים
Miriã

Porque os cavalos de Faraó, com os seus carros e com os seus cavalarianos, entraram no mar, e o Senhor fez tornar sobre eles as águas do mar; mas os filhos de Israel passaram a pé enxuto pelo meio do mar. A profetisa Miriã, irmã de Aarão, tomou um tamborim, e todas as mulheres saíram atrás dela com tamborins e com danças. E Miriã lhes respondia: "Cantai ao Senhor, porque gloriosamente triunfou e precipitou no mar o cavalo e o seu cavaleiro."

Êxodo 15:19-21

Miriã é uma das primeiras líderes femininas da história e, especificamente, uma das primeiras líderes das mulheres. A cena descrita acima se desenrola quando da fuga dos judeus do Egito para escaparem da escravidão, tendo Moisés como seu líder. Quando eles chegam à beira da água e vêem o exército do Faraó aproximando-se, Moisés realiza o milagre de separar as águas do mar e eles podem atravessar por chão firme. Mas quando o último dos judeus tinha acabado de atravessar, as águas retornam, afundando o Faraó com todos os seus homens e cavalos. Quando as pessoas vêem essa cena miraculosa e constatam que foram novamente salvas, elas começam a cantar e Miriã conduz as mulheres em sua própria forma singular de celebração.

Miriã é chamada aqui de "irmã de Aarão" para ressaltar que mesmo antes do irmão caçula deles, Moisés, o epítome da profecia, ter nascido, a própria Miriã já tinha dons proféticos. Na verdade, segundo alguns comentadores da Bíblia, Miriã foi a primeira responsável pelo nascimento de Moisés. Sabemos que era ela que vigiava seu cesto de vime às margens do Nilo quando a filha do Faraó o encontrou ali e, com isso, salvou sua vida — mas você sabia que se não fosse ela, não teria existido nenhum bebê?

Miriã tinha seis anos de idade quando seus pais se separaram. O Faraó havia decretado que todos os recém-nascidos do sexo masculino de família hebraica seriam lançados e afogados no rio, enquanto os bebês do sexo feminino tinham permissão para viver. Isso era para garantir que o Faraó continuasse sendo o mais poderoso ditador com menos oposição.

Joquebede e Amrão (assim como muitos outros casais) preferiram separar-se a correr o risco de criar um filho que seria condenado a uma morte tão cruel. Embora Miriã convença seus pais a se casarem de novo com o argumento de que o Faraó podia ter feito o decreto contra os meninos, mas deixando-se dominar pelo medo, Joquebede e Amrão estavam de fato impedindo que até mesmo meninas nascessem. Além do mais, ela havia previsto o futuro e sabia, mesmo antes de ele ter sido concebido, que Moisés seria o salvador de seu povo.

Portanto, foi graças à sua irmã mais velha que Moisés nasceu, que ele não morreu afogado no rio e que foi criado na casa do Faraó, onde adquiriu as habilidades de líder das quais iria necessitar para tornar-se o condutor de seu povo para o Êxodo.

Devido a seu dom especial da intuição desde muito pequena, Miriã era muito querida por seu povo. E como ela era a favor de as mulheres assumirem o controle da situação, incitando as jovens esposas a desafiarem o decreto do Faraó e continuarem formando suas famílias, ela foi associada com o movimento de mulheres em seus primeiros estágios. As feministas de hoje colocam uma Taça para Miriã ao lado de Elias na mesa da ceia de Páscoa, simbolizando as muitas diferentes formas de salvação que existem para os mais diferentes tipos de pessoas.

A letra *Mem* é muitas vezes associada ao simbolismo da água (*mayyim*) e não é coincidência o fato de que, ao viajarem pelo deserto, os judeus irem acompanhados de um miraculoso poço de água móvel que lhes era dado pelo mérito dos atos de Miriã. Quando ela morreu, o poço secou, significando sua contribuição crucial ao sustento de um povo desesperado.

Miriã representa a força vital que impele a todos nós. Da mesma maneira que precisamos de água para viver, precisamos também ser capazes de nos rejubilar diante dos milagres da vida, cantando e dançando quando nos acontecem coisas boas; mas precisamos também perseverar nos tempos difíceis, prosseguir vivendo mesmo nas circunstâncias mais adversas. Essas são as lições que nós, homens e mulheres igualmente, podemos aprender com Miriã, a Profetisa.

A carta *Mem* representa a qualidade de **liderança**. Quando ainda era criança, Miriã reconheceu sua própria definição de justiça e defendeu os direitos de sua família e, com isso, fez o melhor possível de uma situação difícil e, finalmente, contribuiu para a sua solução. Todos nós temos no fundo um pouco de liderança, mesmo quando crianças pequenas. A chave está no reconhecimento de nosso potencial e na sua afirmação.

Seja conduzindo um povo a atravessar cantando os tempos difíceis ou provendo o equivalente à tão necessária água no deserto, sempre há uma maneira de tomar a si o encargo de ajudar a melhorar a vida dos outros. Use essa carta para meditar sobre os modos pelos quais você pode ter maior clareza de seu potencial de liderança em qualquer aspecto de sua vida.

14
נ
Nun
נח
Noach
(Noé)

Eis a história de Noé — Noé era homem justo e íntegro entre os seus contemporâneos; Noé andava com Deus.

Gênesis 6:9

Dez gerações se sucederam entre Adão e Eva e Noé — mas quando a sua história começa a ser narrada na Bíblia, a sociedade não havia evoluído muito. O mundo de fato havia caminhado rapidamente para um estado de coisas lamentável: as pessoas eram conhecidas por roubarem, enganarem, serem violentas e sexualmente imorais. Mas Noé manteve-se íntegro e, assim, quando Deus decidiu que o mundo inteiro precisava ser destruído por um terrível dilúvio para depois poder ser totalmente reconstruído, Ele colocou a salvo apenas Noé e sua família.

Muito se tem dito a respeito da qualificação "em suas gerações". Segundo alguns, Noé foi a única pessoa realmente boa de todas as dez gerações que haviam existido. Para outros, a situação é menos positiva: Noé pode ter sido bom quando comparado com todos os seus vizinhos, mas se colocado numa outra época e num outro lugar, ele não teria sido descrito da mesma maneira. Uma das interpretações faz uma comparação entre uma moeda de prata e um pote de moedas de cobre. Comparada às moedas de cobre, a de prata brilha, mas se colocada ao lado de uma moeda de ouro, não há nenhuma dúvida de qual é a mais valiosa.

Noé distingue-se das outras grandes figuras da história bíblica pelo fato de não questionar nem discutir com Deus. Quando Deus vai até ele e diz que pretende destruir todo o mundo perverso, mas salvar a ele e sua família por meio da arca, Noé não pergunta por que, não tenta fazer Deus mudar de idéia ou desistir de suas intenções destrutivas. Pelo contrário, ele segue exatamente as instruções quanto às medidas da arca e o número de animais a levar consigo e prepara-se para fazer o que Deus mandou.

Não foi o que aconteceu com Abraão quando, muitos anos depois, ele foi informado de que a cidade de Sodoma seria destruída por causa da imoralidade que imperava nela: ele tenta barganhar com Deus para salvar, pelo menos, as poucas pessoas boas que existiam entre os ímpios. O silêncio de Noé é, neste caso, tão controverso como sua descrição do que é ser íntegro "em suas gerações". De um lado, ele é obediente e tem plena fé na vontade de Deus; de outro, ele não exerce a vontade e a capacidade do homem para negociar, interpretar e expressar-se por si mesmo, com as quais veio ao mundo e isso é uma decepção.

É sempre difícil saber quando ser forte e calar e quando se levantar para lutar em defesa dos próprios interesses e, especialmente, quando a situação requer essa ou aquela resposta. Se Noé respondeu ou não "corretamente" às circunstâncias que lhe foram colocadas não é a questão — o mais importante é saber que ele "andava com Deus", vivia sua vida com um senso de propósito, sabendo que havia uma força superior guiando sua vida. Era isso que o distinguia do resto da sociedade e o tornava merecedor da arca e de ser o patriarca das novas gerações e o novo começo do mundo.

Quando o dilúvio terminou e o mundo voltou a funcionar, Deus fez uma aliança com Noé. Ele enviou um arco-íris através do céu e, com ele, prometeu jamais voltar a destruir o mundo de uma forma tão avassaladora. Noé, por sua vez, estabeleceu o que ficou conhecido como Leis de Noé, as sete diretrizes básicas para o comportamento moral que surgiram muito antes dos Dez Mandamentos.

Essas leis (não matar, não cometer idolatria, não roubar, não praticar incesto, não cortar a carne de um animal vivo, não blasfemar e não prestar falso testemunho diante de um tribunal) aplicam-se a toda a humanidade, independentemente de idade, raça ou religião. O fato de nossas leis básicas que regem o comportamento moral levarem o nome de Noé nos diz algo muito importante: ser íntegro, mesmo que venham a existir nas futuras gerações outros que superarão em muito a nossa integridade, merece a criação de todo um novo mundo.

※ ※ ※ ※

A carta *Nun* vem nos ensinar a **Teoria da Relatividade Espiritual**: *tudo* é relativo. Vemos as coisas de uma determinada maneira com base em nossas experiências de vida, mas os outros, com suas diferentes experiências de vida, vêem do ponto de vista contrário. Certo e errado são categorias subjetivas que estão em constante mudança.

Por mais que nos seja impossível suportar as injustiças, e todos nós temos que nos esforçar para manter os princípios mais básicos da moralidade e da justiça, não podemos de maneira alguma julgar os outros de acordo com nossos próprios critérios.

Noé não era perfeito, nós não somos perfeitos e o mundo em que vivemos não é perfeito. Esta carta pede para você aceitar a si mesmo e procurar modos para melhorar o seu comportamento. Aceite o mundo, mas não fique sentado esperando que ele desmorone quando pode ser ativo e ajudar a fazer dele um lugar melhor.

De um cego não se pode esperar que pinte paisagens de um mundo que ele nunca viu; portanto, é importante saber que você só pode julgar a si mesmo de acordo com suas próprias capacidades e circunstâncias.

❖ ❖ ❖ ❖

15

ס

Samech

הר סיני

Har Sinai
(Monte Sinai)

Ao amanhecer do terceiro dia, houve trovões e relâmpagos, e uma espessa nuvem sobre o monte, e mui forte clangor de trombeta, de maneira que todo o povo que estava no arraial estremeceu. E Moisés levou o povo fora do arraial ao encontro de Deus; e puseram-se ao pé do monte. Todo o Monte Sinai fumegava, porque o Senhor descera sobre ele em fogo; a sua fumaça subiu como fumaça de uma fornalha, e todo o monte tremia grandemente. E o clangor da trombeta ia aumentando cada vez mais; Moisés falava, e Deus lhe respondia no trovão.

Êxodo 19:16-19

Imagine-se estar ali no Monte Sinai: centenas de pessoas, que haviam sido escravos até alguns meses antes, ali reunidas ao pé do monte no deserto — e fumaça, fogo, trovão, relâmpago e o som do *shofar* irrompendo alto, tudo isso levando ao som terrivelmente espantoso da voz de Deus. Como você acha que ia se sentir diante de tudo isso?

Conta a lenda que apenas os dois primeiros dos Dez Mandamentos foram transmitidos diretamente por Deus e que os últimos oito tiveram que vir por meio de Moisés. As pessoas estavam demasiadamente tomadas pelo primeiro contato direto com Deus para darem conta da situação — e depois que ganharam familiaridade com essa voz e ela as intimidava menos, elas pediram a Moisés que falasse em seu lugar. (Apesar de, conforme observam os estudiosos da Bíblia, cada indivíduo ter ouvido a voz de Deus de uma maneira diferente, de acordo com sua própria capacidade e discernimento pessoal, a experiência de comunicação direta com o Divino mostrou-se estar além do que eles podiam suportar.)

Há uma tradição no judaísmo, segundo a qual toda e qualquer pessoa do mundo esteve no Monte Sinai e que essas mesmas almas reencarnaram muitas e muitas vezes através das gerações, até hoje. É por isso que essa cena da primeira Revelação em massa da história nos é tão impressionante até hoje. Existe algo em nossas almas que nos põe em contato com esse evento, lembra o medo que acompanhou toda a empolgação e reconhece que em nosso estado de ser mais original, nós o vivenciamos diretamente.

O *Samech* tem a forma de um círculo e representa proteção e segurança. Embora em algum nível estejam apavoradas, as pessoas no Monte Sinai sentem também (embora talvez apenas inconscientemente) que vão ficar bem. Quando Moisés ouve seus gritos e passa a enunciar as palavras de Deus, as pessoas conseguem proteger-se da estranha e assustadora experiência e serem confortadas pela voz familiar de seu líder.

Apenas quando o som passa da estranha voz portentosa de Deus para a voz humana de Moisés é que as pessoas conseguem realmente compreender o significado profundo da Revelação. Como uma aliança matrimonial perfeitamente circular, a experiência no Sinai é limitada e ilimitada ao mesmo tempo, estendendo-se a todas as gerações através de infinitas reencarnações. Apesar de as pessoas já terem agora regras e regulamentos concretos e terem assumido para si mesmas a responsabilidade de viverem de acordo com elas — elas também receberam a garantia de serem protegidas e guiadas por seu Deus. Como se estivessem dentro de um *Samech* metafórico, as pessoas estão agora seguras dentro dos marcos de sua sociedade, sentindo-se confortadas pela permanência de tudo.

❖ ❖ ❖ ❖

O *Samech* é o símbolo-chave para sua **segurança e proteção**. Quer você se encontre num lugar de transição ou realizando normalmente as suas atividades corriqueiras, você pode se sentir de vez em quando como uma ovelha desgarrada, inseguro quanto ao seu lugar no mundo.

Mesmo quando acontecem coisas boas, nós tendemos a questioná-las e questionar seu lugar no "contexto mais amplo" de nossa vida. Mas o *Samech* nos lembra que estamos sempre envoltos pelo abraço protetor de uma força superior.

Invoque a experiência do Sinai: ouça a estranha voz vinda de cima mudando a sua realidade no dia-a-dia. Você pode vencer seus medos e ansiedades e mitigar seu orgulho se se concentrar na energia do *Samech*.

Lembre-se que tudo faz parte do círculo universal da vida. A experiência que você está tendo hoje vai levar à que você terá amanhã e assim sucessivamente através das encarnações, e que tudo é exatamente como deve ser.

❖ ❖ ❖ ❖

16
ע
Ayin
עֲקֵדַת יִצְחָק
Akedat Yitzchak
(O Atamento de Isaque)

Quando Isaque disse a Abraão, seu pai: "Meu pai!" Respondeu Abraão: "Eis-me aqui, meu filho!" Perguntou-lhe Isaque: "Eis o fogo da lenha, mas onde está o cordeiro para o holocausto?" Respondeu Abraão: "Deus proverá para si, meu filho, o cordeiro para o holocausto"; e seguiam ambos juntos. Chegaram ao lugar que Deus havia designado; ali edificou Abraão um altar, sobre ele dispôs a lenha, amarrou Isaque, seu filho, e o deitou no altar, em cima da lenha.

Gênesis 22:7-9

A maioria das interpretações com respeito ao Atamento de Isaque focaliza as ações de Abraão, que já havia sido testado nove vezes por Deus e é considerado o herói da lenda. Por ter sido aprovado nesse último teste, pela disposição de se preparar para o sacrifício de seu filho amado (que nasceu quando ele tinha cem anos de idade e sua esposa noventa, depois de muitos anos de infertilidade e empenho), Abraão é considerado o paradigma da fé, disposto a entregar tudo pelo qual havia vivido para cumprir a palavra de Deus.

É claro que essa é uma das histórias bíblicas mais problemáticas em termos morais e muitas gerações de filósofos debateram-se com a questão quanto a se Abraão venceu ou fracassou como pessoa no que diz respeito à sua disposição de matar um homem inocente que era também seu filho. Mas independentemente de esse ser um puro ato de fé ou um erro, no final Isaque não estava destinado a morrer e Deus impediu que Abraão matasse seu filho alguns segundos antes do ato de execução. O teste era para avaliar a devoção de Abraão, para provar ao mundo que ele era um homem disposto a realizar qualquer sacrifício por seu Deus.

Mas e Isaque? Ele tinha 37 anos de idade quando isso aconteceu, e, portanto, dificilmente podia ser considerado um menino ignorante. Por que esse não é considerado antes um teste da fé de *Isaque* do que da fé de seu pai? Afinal, estar disposto a sacrificar a própria vida, com certeza significa tanto quanto estar disposto a tirar a vida de outrem.

De acordo com alguns comentadores, quando Abraão, Isaque e seus dois servos partiram na manhã do Atamento de Isaque, apenas Abraão conhecia a verdadeira finalidade da ida deles à montanha. Mas quando eles se aproximaram do lugar indicado por Deus, Abraão viu a nuvem que indicava a presença de Deus e, em seguida, Isaque também a viu. Os outros dois homens não viram a nuvem e Abraão pediu que eles esperassem ao pé da montanha com o burro, enquanto pai e filho subissem ao local onde o sacrifício deveria ser realizado — entendendo que ele e Isaque encontravam-se num nível espiritual diferente dos outros dois.

No diálogo acima, que ocorre enquanto eles sobem a montanha, Isaque se dá conta do que realmente está por acontecer. Ele sabe que a presença da nuvem indica uma intenção sagrada e ele sabe que se ele e seu pai fossem realmente sacrificar uma ovelha, eles teriam que dispor de um animal. E quando Abraão sugere que Deus vai prover a ovelha, seu filho entende perfeitamente que é *ele mesmo* que deverá morrer no altar. Mesmo assim, Isaque prossegue caminhando com seu pai e permite que seja amarrado.

Como um homem de 37 anos, ele poderia facilmente ter fugido ou dominado seu velho pai, mas Isaque aceita totalmente a situação, dispondo-se a ajudar seu pai a cumprir seu destino. Assim como tinha o dom de ver a nuvem sagrada de Deus, Isaque também era capaz de prever o futuro e sabia, portanto, que seu legado não acabaria naquele dia na montanha.

Isaque foi capaz de aquiescer porque ele tinha tanta fé (embora de um tipo diferente) quanto seu pai. É por isso que o Atamento não representou tanto uma "prova" para Isaque quanto para seu pai. Abraão achava que teria que matar seu filho e a prova era para mostrar se seria capaz de realizar o ato, apesar de seu amor por Isaque. Mas Isaque sabia nos recônditos mais profundos de seu ser que se tratava apenas de uma prova — ele não estava destinado a ser um mártir.

A palavra hebraica *Ayin* significa "olho". E a letra não indica apenas vista, mas também percepção espiritual, a capacidade de "ver" o quadro mais amplo além dos detalhes em preto-e-branco do momento.

Posteriormente em sua vida, Isaque fica cego. Para alguns, o processo de cegueira teve início nesse momento, quando as lágrimas de seu pai e dos anjos do céu caíram dentro de seus próprios olhos — bem no instante em que Deus impediu a mão de Abraão de enfiar a faca na garganta de seu filho. Qualquer que seja a causa da cegueira de Isaque, é significativo que o ancestral mais ligado à visão literalmente não consiga enxergar nos últimos anos de sua vida. Em outras palavras, Isaque nos ensina que as coisas mais importantes que necessitamos reconhecer na vida são aquelas que só podemos ver interiormente.

❊ ❊ ❊ ❊

A pessoa que tira a carta *Ayin* encontra-se num período de provação e dúvida. Todos nós somos testados de várias maneiras a cada dia e temos que encontrar meios de vencer essas provas e confiar em nossa **percepção interna**.

Para se tornar um cabalista, você terá de aprender a desenvolver e confiar no seu sexto sentido e ver a luz até mesmo na escuridão. Essa é a luz que Isaque enxerga quando jaz amarrado sobre o altar e a mesma luz que ele é capaz de ver mesmo quando seus olhos deixaram de funcionar.

Confie no que você vê, tanto dentro como fora. Se os outros não conseguem enxergar a nuvem gloriosa nem entender as complexidades de nossas provações diárias, isso não quer dizer que elas não existam.

❊ ❊ ❊ ❊

17
פ
Peh

פרעה
Pharaoh
(Faraó)

E assim Faraó, de coração endurecido, não deixou ir os filhos de Israel...

Êxodo 9:35

A narrativa do Êxodo dos judeus do Egito é uma das mais comoventes descrições de liberdade de toda a história humana. O seu monarca severo, o Faraó, recusa-se a permitir que eles deixem o país, a despeito da série de pragas que o Deus dos hebreus havia lançado sobre ele. Depois de cada uma das pragas enviadas por Deus — sangue, sapos, piolhos, bandos de animais selvagens, epidemias, ebulições, chuvas de granizo, nuvens de gafanhotos e total escuridão —, Moisés foi até o Faraó pedir que deixasse seu povo ir embora.

De dez vezes, nove o Faraó deu sinais de abrandamento, mas no último minuto, seu coração se enrijecia e ele voltava atrás. Só quando a Praga do Primogênito abateu-se e o filho mais velho de cada família egípcia, até mesmo a do Faraó, morre à meia-noite, ele finalmente cede e diz a Moisés para pegar as pessoas e todos os seus pertences e partirem.

Ao longo de toda a história, nós temos assistido a todo mal de que o coração humano é capaz: do Faraó a Adolf Hitler e Osama bin Laden, sempre existiram pessoas cometendo atos que a maioria de nós não consegue nem imaginar. No entanto, essas pessoas existem e elas nos ensinam uma lição: às vezes, é preciso que enxerguemos o pior da vida para começarmos a nos erguer novamente e criar um mundo melhor.

Nós podemos ver isso, embora em proporções menores, também em nossa própria vida. Às vezes, precisamos descer aos níveis de comportamento mais vil para só então começarmos a melhorar. Muitos viciados, por exemplo, precisam chegar à beira da morte para se disporem a iniciar um processo de reabilitação; e muitas pessoas que passaram pela experiência da perda precisam sofrer uma depressão profunda antes de darem início ao processo de recuperação. A mesma coisa aconteceu com o Faraó — ele precisou sentir a tragédia pessoal mais terrível se abater sobre ele (a perda de seu filho) para reconhecer a morte de tantas crianças que ele havia causado.

Peh é a palavra hebraica que designa "boca". Escrita da mesma maneira, porém pronunciada de forma diferente (*"poh"*), a palavra também significa "aqui". Essas duas palavras e conceitos são totalmente interligados: falar é estar presente, estar no momento e comunicar-se conscientemente. O Faraó precisava abrir seu coração para abrir sua boca e dar permissão para as pessoas irem embora — ele precisava falar do lugar de experiência, do presente, do "aqui".

Há uma célebre lenda rabínica, segundo a qual quando o bebê se encontra no útero da mãe, ele é dotado de todo o conhecimento do mundo. Quando nasce, no entanto, um anjo punciona o seu lábio superior, criando o entalhe logo abaixo do nariz, e, assim, ele esquece tudo no mesmo instante. O processo da vida é, portanto, o de aprender e recordar lentamente as coisas que já sabíamos desde o começo de nossa vida.

O Faraó também teve que passar por um processo de resgate de sua humanidade perdida, aceitando finalmente o fato de não ser um deus imortal, mas que estava tão sujeito a pragas como qualquer outro egípcio. E quando ele finalmente percebeu isso, redescobrindo parte de sua moralidade interior, ele foi capaz de usar o poder da fala (uma qualidade caracteristicamente humana) para permitir que os judeus fossem embora.

❖ ❖ ❖ ❖

O *Peh* representa o incrível **poder da fala** em nossa vida. O ato de falar é o catalisador de toda ação e de qualquer mudança significativa que ocorre no mundo. Usar a boca, a capacidade que nos distingue de outras formas de vida, é exercer o nosso poder maior.

Observe atentamente a forma do *Peh*: dentro das linhas negras que formam a letra, no espaço em branco, há um *Bet*. O *Bet*, como já vimos, é a primeira letra da Torá, mas ele também representa olhar para as coisas de diferentes ângulos. O fato de as duas letras estarem misticamente interligadas nos ensina uma importante lição: antes de abrirmos a boca para falar, temos de considerar o quadro mais amplo. Saber que sempre há uma outra camada de verdade a ser considerada vai nos ajudar a nos expressarmos mais efetivamente na vida.

Costumamos dizer que "os atos dizem mais do que as palavras", mas às vezes só as palavras podem nos levar à verdadeira ação.

Essa carta incentiva você a abrandar o coração, abrir a boca e usar o conhecimento que lhe foi dado antes de respirar pela primeira vez. Quando tiver realizado essas coisas, você poderá mudar o mundo.

❈ ❈ ❈ ❈

18
צ
Tzaddik
צלם אלוהים
Tzelem Elohim
(À Imagem de Deus)

Criou, Deus, pois, o homem à Sua imagem, à imagem de Deus o criou; homem e mulher os criou.

Gênesis 1:27

Essa é a primeira das duas descrições que aparecem no Gênesis para a criação da espécie humana no princípio do mundo. Na segunda (Gênesis 2:18ss), o homem é criado primeiro e depois Deus forma a mulher com um pedaço tirado do "lado" do homem (a palavra hebraica é *tzela*, tradicionalmente traduzida como "costela") e com ele cria um ser totalmente novo. Na descrição original, entretanto, o homem e a mulher são criados de uma só vez. Segundo alguns, eles foram criados como um só corpo e, depois, cada "lado" foi separado do outro para formar as duas pessoas separadas que conhecemos como Adão e Eva. Para outros, eles foram criados como corpos separados, mas simultaneamente e em total igualdade de condições.

Qualquer que seja a versão que você escolher acreditar das duas sobre a criação da espécie humana, o essencial é entender que ela foi criada à Imagem de Deus (*be'tzelem Elohim*), e que isso significa que homens e mulheres têm um propósito nesta terra diferente de qualquer outra criatura criada na primeira semana de existência. A humanidade foi criada não apenas para crescer e se multiplicar, como qualquer animal, mas para dominar a natureza e explorar os poderes que lhe são inerentes. O que nos distingue das plantas e dos animais é o fato de termos em nosso interior uma centelha de

Divindade que, com sorte, podemos treinar para vê-la e desenvolvê-la.

Tentar acessar essa parte de nós mesmos, que é semelhante a Deus, a parte que se esforça para tornar o mundo um lugar melhor e aperfeiçoar nossas características pessoais, é a obra essencial da Cabala. Pelo esforço para reconhecer a nossa santidade original, a nossa ligação com a fonte divina da criação, nós começamos a nossa jornada em direção a *Tikkun Olam* (a Cura do Mundo), que é o propósito último de nossa vida.

Um *Tzaddik* é íntegro, alguém para quem trazer boas coisas ao mundo, fazer caridade e dar de si mesmo são prioridades. Você se torna um *Tzaddik* antes e acima de tudo aprendendo a estabelecer contato com o fato de ter sido criado *Be'tzelem*, à Imagem de Deus. Uma vez que tenha internalizado o fato de que contém em seu interior uma essência sagrada, um propósito na vida, você vai começar a ver que todos os outros também contêm essa centelha.

Você não pode maltratar as pessoas — ser racista, discriminar ou ser cruel para com seus semelhantes — se realmente acreditar que cada um de nós foi criado à imagem de Deus.

Entender que a primeira pessoa foi na verdade uma única unidade homem/mulher e que cada pessoa ao longo de toda a história descendeu desse ser original, é entender que somos todos realmente criados iguais. Não apenas temos que tratar os outros com respeito, mas também aprender a tratar a *nós mesmos* com respeito, procurando curar o mundo muitas vezes dilacerado no interior de nós mesmos, como também o mundo exterior.

❖ ❖ ❖ ❖

O *Tzaddik* ajuda a aumentar a **autoconfiança**. Em tempos de dúvida, quando questionamos nossos valores pessoais e olhamos fria e implacavelmente para nossa vida em busca de um propósito mais profundo, é de suma importância que lembremos de nossas origens: somos todos feitos à Imagem de Deus, somos todos seres íntegros, ou *Tzaddikim*.

O seu próprio corpo é sagrado, da mesma maneira que a sua alma. Trate a si mesmo com respeito, como faria com qualquer objeto sagrado: coma bem, respire, durma, medite, seja criativo, faça o bem aos menos afortunados. Uma única vez que você se veja como único e sagrado basta para ver realmente os outros da mesma maneira.

Diz-se que salvar uma única vida é o mesmo que salvar o mundo todo e que matar uma única pessoa é o mesmo que destruir todo o planeta. Isso provém da idéia de que no princípio havia apenas uma pessoa que continha a centelha mais vital da vida que iria existir em cada pessoa através da história.

Lembre-se que somos todos interligados neste mundo e que somos todos de suma importância para a sua sobrevivência. Sem qualquer um de nós, o mundo seria incompleto.

19
ק
Kuf

קן צפור
Kan-Tzippor
(Ninho de Pássaro)

Se de caminho encontrares algum ninho de ave, nalguma árvore ou no chão, com passarinhos, ou ovos, e a mãe sobre os passarinhos ou sobre os ovos, não tomarás a mãe com os filhotes; deixarás ir, livremente, a mãe, e os filhotes tomarás para ti, para que te vá bem, e prolongues os teus dias.

Deuteronômio, 22:6-7

Essa passagem é uma das dezoito leis referentes à proteção dos animais na Bíblia. Entre outras coisas, a Bíblia nos instrui a não cozinhar um cabrito no leite de sua mãe (o que se transformou com o tempo no preceito judaico do *kashrut*, segundo o qual, carne e leite não devem ser de maneira alguma ingeridos juntos); que não devemos matar a mãe e sua cria no mesmo dia e que devemos ajudar um animal que pode ter caído de exaustão no caminho a se levantar.

Embora, segundo o Gênesis, aos humanos tenha sido dado o domínio sobre os animais, também lhes foi atribuída a responsabilidade de cuidar deles e de tratá-los como seus semelhantes criados por Deus. Essa tensão entre a nossa responsabilidade para com os animais e nosso poder sobre eles é a origem de muitas questões complexas. Mas o que essa passagem deixa claro é que devemos, antes e acima de tudo, respeitar a natureza daqueles seres que, de alguma maneira, consumimos ou usamos para nossos propósitos.

Ao afastarmos a mãe antes de pegar seus ovos ou filhotes, nós estamos levando em conta vários fatores: (1) O fato de os animais serem apegados a suas crias e de sofrerem ao serem separados delas; sendo afastada, a mãe não vê seus ovos ou filhotes serem tomados e o golpe é, portanto, abrandado; (2) não levando a mãe junto com os ovos como comida, nós estamos ajudando a preservar a espécie, garantindo a sua sobrevivência (o que os ambientalistas chamam de "sustentabilidade"); (3) colocando a nossa responsabilidade para com os animais antes do nosso poder sobre eles, estamos nos lembrando do que é mais importante; e (4) colocamos um exemplo de compaixão para a nossa própria vida.

E se afastar a mãe dos filhotes é tão importante que acabará resultando em vida longa para quem o faz, imagine a importância que tem tratar as outras pessoas com esse mesmo nível de sensibilidade. As implicações emocionais, práticas, filosóficas e pessoais desse mandamento são impressionantes. Com a realização (ou simplesmente o entendimento) de um pequeno ato como esse, nós podemos ajudar a aliviar o sofrimento do mundo, preservar a terra, colocar o nosso poder no seu devido lugar e aprofundar a nossa capacidade de compaixão e bondade para com os outros.

O *Kuf* é antes e acima de tudo uma letra de *kedusha*, santidade. O verbo *lekadesh* significa "santificar" ou "tornar sagrado", sugerindo que santidade é algo a ser alcançado por meio de ações.

Observe como a letra é formada: o caractere estende-se para abaixo da linha como se estivesse descendo para o "mundo inferior" da terra, vindo do "mundo superior" da espiritualidade. Isso nos mostra que podemos santificar e infundir sentido e propósito à nossa vida, se procurarmos melhorar nossas ações cotidianas e termos a consciência de um propósito maior por trás de tudo o que fazemos.

❋ ❋ ❋ ❋

A carta *Kuf* é sinal de **compaixão**. Examine além da superfície de suas ações e considere o fato de, como seres humanos, nós não sermos tudo o que importa neste mundo. O princípio da benevolência para com os animais nos ensina a importante lição de sermos benevolentes para com *todos*, de crianças abandonadas a vítimas de crimes, famílias desamparadas e pessoas idosas.

Procure por um momento visualizar a mãe com seus filhotes ou ovos. Coloque-se no lugar dela e considere sua perspectiva animal. Use agora a sua capacidade humana de raciocínio e seu poder para realizar um ato de santidade.

❋ ❋ ❋ ❋

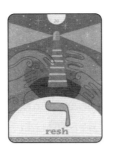

20
ר
Resh
רבקה
Rivka
(Rebeca)

Cumpridos os dias para que desse à luz, eis que se achavam gêmeos no seu ventre. Saiu o primeiro ruivo, todo revestido de pêlos; por isso, lhe chamaram Esaú. Depois, nasceu o irmão; segurava com a mão o calcanhar de Esaú; por isso, lhe chamaram Jacó. Era Isaque de sessenta anos, quando Rebeca lhos deu à luz. Cresceram os meninos, Esaú saiu perito caçador, homem do campo; Jacó, porém, homem pacato, habitava em tendas. Isaque amava a Esaú, porque se saboreava de sua caça; Rebeca, porém, amava a Jacó.

Gênesis 25:24-28

A matriarca Rebeca é uma das figuras femininas da Bíblia mais desenvolvidas e é também uma das mais poderosas. Descoberta em tenra idade pelo servo de Abraão, Eliezer, ela é reconhecida imediatamente como destinada a ser a esposa de Isaque. Por sua bondade intuitiva, Rebeca carrega água para Eliezer e seus camelos mesmo antes de ser solicitada; por isso, Eliezer propõe levá-la a Canaã para ser a esposa de Isaque. Ela aceita prontamente e deixa sua casa, apesar de mal ter saído da infância e jamais ter visto Isaque.

Uma característica que acompanha Rebeca em toda a sua vida é seu surpreendente senso de clareza. Desde o instante em que viu Eliezer, ela soube o que devia fazer; e quando vê de longe Isaque pela primeira vez, após uma longa jornada, ela imediatamente percebe quem ele é — não apenas mais um estranho que se encontra no caminho, mas aquele que será seu companheiro de vida.

Casada com Isaque havia vinte anos, Rebeca ainda não havia engravidado. Quando ela finalmente concebeu, teve uma gravidez difícil e procurou descobrir a razão de seus problemas. Ela perguntou diretamente a Deus o motivo de tanto sofrimento e Ele respondeu que ela estava grávida de gêmeos que estavam em guerra um com o outro já no útero. Essa rivalidade, conforme lhe

ORÁCULO CABALÍSTICO 147

é revelado, iria durar enquanto eles vivessem, mas no final o irmão mais jovem iria triunfar sobre o mais velho. Rebeca manteve essa informação em segredo por anos, mas finalmente seu papel de mãe iria deixar-se guiar por essa revelação, que se tornaria a base para seus futuros atos.

Quando os meninos cresceram, Esaú, o mais velho, tornou-se um homem bruto, interessado em caçadas, mulheres e comida; enquanto Jacó, o menor, tornou-se mais domesticado, instruído e gentil. Rebeca sabia que apesar de Isaque preferir Esaú, Jacó era o que estava destinado a ser o próximo sucessor da linhagem espiritual; assim, quando seu marido estava prestes a transmitir a sucessão para o primogênito, que detém um enorme poder espiritual, Rebeca criou um plano elaborado que iria mudar a história. Ela convenceu Jacó a mentir para seu pai cego, vestir a roupa de Esaú, trazer-lhe carne de caça como se fosse seu irmão e persuadir Isaque a dar-lhe a bênção que o instituiria como patriarca dominante de sua geração.

Pelo que consta, Rebeca fez isso não apenas por preferir um filho ao outro, mas porque ela sabia precisamente o que *ia* acontecer — isto é, o que era justo e certo de acordo com a profecia que recebera. Rebeca fez tudo que pôde para ativamente alterar o destino, para agir com confiança e garantir que Jacó fosse consagrado o sucessor da linhagem. Dessa maneira, ela garantiu que a profecia que recebera quando grávida fosse cumprida e que a linhagem de homens justos continuasse com Jacó.

A letra *Resh* representa a *rosh*, a cabeça. Rebeca é capaz de pensar em termos lógicos e claros e elaborar planos úteis e consistentes para fazer o que é melhor para a família. Depois de ter assegurado o direito de progenitura a Jacó, ela foi capaz de ver que Esaú era suficientemente violento para poder matar seu irmão quando descobrisse o que aconteceu, e ela então tramou um plano para que Jacó fosse viver com seu irmão Labão (onde, por acaso, ele iria conhecer suas futuras esposas, Raquel e Lia).

Apesar de sua situação ser difícil e ela ter que jogar um filho contra o outro e enganar seu marido, Rebeca sabia com absoluta certeza o que tinha que acontecer para que cada um cumprisse seu próprio destino.

❈ ❈ ❈ ❈

A carta *Resh* aparece para as pessoas que estão necessitadas de **clareza**. A vida é confusa e, às vezes, muitos caminhos se apresentam como possíveis escolhas. É comum mais de um caminho se apresentar, mas de tempos em tempos, temos que tomar decisões claras e definitivas.

A clareza não precisa ser necessariamente alcançada por meio de uma profecia — é possível se alcançar o conhecimento supremo por conta própria. Mas qualquer que seja o meio pelo qual ele é alcançado, quando algo está claro na sua mente, e você tem consciência plena do que é, tome cuidado para não se desviar dele.

Aprenda com Rebeca que você pode mudar o que parece ter sido gravado em pedra. A sua sorte na vida não precisa ser aquela que lhe foi destinada ao nascer — você só precisa estar seguro de si para tornar-se o que quer que necessite ser.

21
ש
Shin
שמע ישראל
Shema Yisrael
(Ouve, ó Israel)

Ouve, ó Israel, o Senhor, nosso Deus, é o único Senhor.

Deuteronômio 6:4

Essa simples frase, *Shema Yisrael, Adonai Eloheinu, Adonai Echad,* é considerada a pedra fundamental da fé judaica. Sendo a primeira oração ensinada às crianças pequenas e a última recitada no leito de morte, em sua simplicidade e brevidade, ela resume as lições mais importantes da vida: Deus é Um, nós somos Um, tudo é Um. Descrita através dos tempos como ferramenta suprema de meditação e declaração de fé, a *Shema,* como é conhecida, é uma das mais importantes frases do mundo.

Antes de os judeus finalmente entrarem na Terra de Israel, após quarenta anos vagando no deserto, Moisés resumiu suas experiências desde o Êxodo. Ele relatou detalhadamente a revelação no Monte Sinai e a transmissão dos Dez Mandamentos e, em seguida, passou a explicar esses mandamentos como preparação para a vida num mundo em que eles seriam importantes. Em meio a isso, ele proferiu a *Shema* e, em seguida, deu as instruções: "Amarás, pois, o Senhor, teu Deus, de todo teu o coração, de toda a tua alma e de toda a tua força" (Deuteronômio 6:5).

A lição que tiramos disso é que a fé não é uma mera questão de crença, mas de totalidade. Acreditar é sentir a fé em todos os níveis — emocional, espiritual, prático e até mesmo físico (a *Shema* está gravada nos pergaminhos

ORÁCULO CABALÍSTICO 153

guardados dentro dos *mezuzahs*, ornamentos tradicionais afixados aos batentes das portas das casas).

Para realmente proferir a *Shema*, você terá de estar convencido dela em todos os níveis. Na verdade, se você observar o texto hebraico, na forma como está inscrita num pergaminho da Torá, você vai ver que as últimas letras da sentença — *Ayin* e *Dalet* — aparecem duas vezes maiores que as outras letras da frase. Quando você junta o *Ayin* da *Shema* com o *Dalet* da *Echad*, você forma a palavra *Ayd*, que significa "Testemunho". Você só pode compreender plenamente algo se você realmente é testemunha dele. E para *ouvir* verdadeiramente o que essa oração diz, você terá de testemunhar seu poder por si mesmo.

O *Shin* é a primeira letra das palavras *Shalom* ("paz") e *Shalem* ("completo" ou "inteiro"); portanto, para sentir-se como uma pessoa inteira é preciso estar em paz consigo mesmo. Sentir a totalidade do universo — a simples força vital do que impulsiona todos nós e o mundo ao nosso redor — é também encontrar a paz, ouvir as lições do universo.

Tradicionalmente, essa oração é recitada em posição sentada, com os olhos fechados e encobertos pela mão direita. Cada palavra deve ser proferida lentamente e focalizada uma de cada vez. Fazer essa meditação com os olhos fechados e encobertos nos ensina a desacelerar, a minimizar, a bloquear todas as interferências externas e a reconhecer que tudo se resume a uma única fonte original de energia e luz. Em outras palavras, a despeito de nossas diferentes origens, nós todos viemos de um mesmo lugar. Quando reconhecemos realmente que a unidade é a meta de toda a vida, que o retorno a nossas origens é essencial, nós teremos alcançado a totalidade.

※ ※ ※ ※

O *Shin* é o guia para a **paz e a totalidade**. Concentrando-se na meditação *Shema*, você pode realmente entrar em contato com a Unidade que é fundamental para a Cabala. Ouça as lições e torne essa afirmação verdadeira para você mesmo.

Entenda que, em última instância, todos nós viemos da mesma fonte. Feche os olhos e concentre-se na luz da criação[...] saiba que você é parte dessa luz — todos nós somos. Você pode encontrar a paz se aceitar realmente esse princípio e testemunhá-lo por si mesmo.

※ ※ ※ ※

22
ת
Tav

תהו ובהו
Tohu U'Vohu
(O Imenso Nada)*

No princípio, Deus criou os céus e a terra. A terra, porém, estava sem forma e vazia; havia trevas sobre a face do abismo, e o Espírito de Deus pairava por sobre as águas. Disse Deus: "Haja luz"; e houve luz.

Gênesis 1:1-3

---

* As palavras *Tohu U'Vohu* não têm correspondentes exatos em inglês. Elas têm sido traduzidas por expressões como "espantosamente vazio", "sem forma e vazio" e "vacuidade aterradora", entre outras. "O imenso nada" é a nossa tradução original.

Você nunca se perguntou como era o mundo antes dele existir? Como as árvores, as montanhas e os mares foram parar nele? Em todas as religiões, existem mitos e lendas para explicar a criação do mundo e, na ciência, existe também a teoria da evolução, mas ninguém jamais conseguiu saber com certeza como nós viemos à existência.

Na passagem acima, a explicação é a seguinte: no princípio do tempo, não havia absolutamente nada. Era um vazio, um buraco negro, silêncio [...] e, então, Deus decidiu dar início a algo novo — criar um mundo e povoá-lo e ver o que faríamos dele.

Na Cabala, esse nada é chamado de *Ein Sof* ("Sem Fim") e é considerado como sendo outro nome de Deus. De acordo com o Zohar, no princípio, havia apenas Deus — e ainda hoje existe apenas Deus, porque somos todos feitos de minúsculos fragmentos de Seu ser, apesar de termos nossa própria forma. Os cabalistas acreditam que o estado do nada, do caos primordial, é um estado que permanece por toda a eternidade. Quando morremos, os nossos corpos tornam-se, em certo sentido, o mesmo nada — nós nos desintegramos e nos tornamos informes e vazios, exatamente como o *Tohu U'Vohu*, que existia antes de existir um mundo em que as almas pudessem ser revestidas de corpos. E assim nós atravessamos um ciclo infinito de "nada" e "existência" de uma vida a outra, por toda a eternidade.

Se há uma coisa que a Torá nos ensina, essa é que não existem, em nenhuma narrativa, princípios nem fins definidos. Os relatos históricos repercutem nos dias de hoje, e simples letras podem mudar a maneira de todo um livro ser lido. Já nas primeiras linhas do Gênesis, nós vemos que o mistério é profundo e eterno. Note que no versículo 2, há uma menção a água, mas a água só foi criada no segundo dia. Ou será que ela existia? Não sabemos. Isso serve para nos ensinar a questionar as suposições e não tomar nada como certo.

O caos transforma-se em ordem, porque essa é a tendência natural do mundo, exatamente como o imenso nada se transformou num imenso universo repleto de criações surpreendentes. Mas para dar sentido ao que não faz sentido, para criar ordem do caos, nós temos que colocar nossa energia na busca de entendimento de tudo, questionando e repensando todas as nossas suposições.

O *Tav* é a última letra do aleph-bet e a primeira letra da palavra *Torá*. A Torá é o princípio do conhecimento, a primeira explicação para a vida e ação humana, a primeira família e saga nacional. O fim, portanto, não é nada senão um começo. A essa altura, nós já sabemos que isso é verdadeiro. O fim do nada é a existência e o fim da existência é o nada — e a conclusão de cada estágio da vida leva ao próximo estágio. A criação do mundo e a criação de nós mesmos são ambos processos eternos.

※ ※ ※ ※

A carta *Tav* vem equilibrar a *Aleph*. Apesar de aparecer no começo de um novo ciclo ou no final de um antigo, a carta *Tav* exige que consideremos antes a incerteza que está diante de nós do que a solução ou atitude a ser tomada. **Caos** e **ordem** são partes do mesmo processo e um é necessário ao outro.

Essa carta é um chamado para você pensar no imenso nada, o vazio do mundo antes de existir noite e dia, luz e trevas, terra e mar. Lembre-se de que todos nós somos parte desse estado místico da mente e, portanto, abandone suas suposições e sua perspectiva terrena. Permita-se vivenciar o caos da transição antes de voltar sua energia para o próximo estágio de sua vida.

O fim é apenas o começo.

※ ※ ※ ※

Bibliografia

Livros e artigos

Berg, Michael. *Becoming Like God: Kabbalah and Our Ultimate Destiny* (Kabbalah Publishing, 2004).

Elkins, Dov Peretz. *The Bible's Top 50 Ideas: The Essential Concepts Everyone Should Know* (Specialist Press International, 2005).

Green, Arthur. *Ehyeh: A Kabbalah for Tomorrow* (Jewish Lights, 2003).

Greenberg, Irving. "Living in the Image of God", publicado na Internet no seguinte endereço:
www.beliefnet.com/story/12/story_1225_1.html.

Heschel, Abraham Joshua. *The Sabbath* (Farrar, Straus & Giroux, 1951).

Kushner, Lawrence. *The Book of Letters: A Mystical Alef-Bait* (Jewish Lights, 1990).

——————. *The Way Into Jewish Mystical Tradition* (Jewish Lights, 2001).

Leibowitz, Nehama. *Studies in Bereshit (Genesis) in the Context of Ancient and Modern Jewish Commentary* (World Zionist Organization, 1981).

Matt, Daniel C. *The Essential Kabbalah: The Heart of Jewish Mysticism* (HarperCollins, 1995).

——————. *Zohar: The Book of Enlightenment* (Paulist Press, 1983).

Rubin, Gary. "Overcoming Destiny", publicado na Internet no seguinte endereço: **www.myjewishlearning.com/texts/Weekly_Torah_Commentary/toldot_ujafedny5762.htm**

Steinsaltz, Adin. *Biblical Images* (Jason Aronson, 1994).

Their, Ela. "Letting Pharaoh Go: A Biblical Study of Internalized Oppression", *in The Women's Passover Companion*, org. rabino Sharon Cohen Anisfeld, et al. (Jewish Lights Publishing, 2003), 246-50.

Zornberg, Avivah Gottlieb. *The Beginning of Desire: Reflections on Genesis* (Doubleday, 1995).

—————. *The Particulars of Rapture: Reflections on Exodus* (Doubleday, 2001).

Sites na Internet

www.beliefnet.com

www.geocities.com/m_yericho/ravKook/VAYIK64.htm

www.hir.org/torah/rabbi/parshiyot58.htm

www.inner.org

www.kabala.com

www.kabbalah.info

www.myjewishlearning.com

www.torah.org

Nota: As traduções (para o inglês) da Bíblia foram em grande parte extraídas de *The Chumash: The Stone Edition* (Mesorah Publications, Ltd., 1993). Quando a tradução não era de nosso agrado, nós consultamos a tradução da Jewish Publication Society e, em alguns casos, fizemos uma tradução própria.

As traduções (para o português) da Bíblia foram extraídas de *A Bíblia Sagrada*, traduzida por João Ferreira de Almeida. Revista e atualizada no Brasil. 2ª ed. Barueri — SP: Sociedade Bíblica do Brasil, 1999. Inclui hinário Novo Cântico.